马龙之死

贝克特作品选集 4

[爱尔兰] 萨缪尔·贝克特 著

马龙之死

余中先 译

湖南文艺出版社·长沙

SAMUEL BECKETT
MALONE MEURT

© 1951 by Les Éditions de Minuit
根据午夜出版社 1951 年法文版翻译
并获简体中文版出版授权

然而我很快就要完全彻底地死去了。也许下个月。那么该是四月或五月喽。因为千百种迹象表明了，岁时才刚起头。或许我会阴差阳错地挨过圣约翰日①，甚至自由之节七月十四日②。怎么说呢，我也可能一直活到耶稣变容节③，我会认识自己的面容，也许到圣母升天节④。但是我不认为，我不认为会看不到今年这些欢乐的节庆，我这么说是不会错的。我有这么一种情感，我怀着它已有好几天了，我信任它。然而，它与那些自打我存在以来就一直愚弄着我的情感又有什么区别呢？不，对我而言，这已不成其为问题了，我不再需要如画的美景了。假如愿意的话，我甚至会在今天死

---

① 6月24日，施洗者约翰的本名日。
② 法国国庆节。
③ 8月6日。
④ 8月15日。

去，只需要稍微推动一下就行，若是我能愿意，若是我能推动。不过，还是让我自然地死去，不要影响到别的事物。肯定有什么东西变了。我不再愿意在天平上称了，左边不行，右边也不行。我将变得平淡无性，死气沉沉。这对我很容易。只消注意不受惊吓就成，再说了，从我到这里以来，我受惊吓少多了。时不时地我显然还有一些不耐烦的动作。眼下的半个月里，三星期里，我该提防的正是它们。不要过分夸大什么，这是无疑的，哭也好笑也好，都要平平稳稳，不要太兴奋。对了，我终归要变得自然，我将非常痛苦，随后，少一点，从中得不出什么结论，我更少地听我自己，我不再冷不再热，我将温乎乎的，我将毫无热情地温吞吞地死去。我不会看着我死去，那将扭曲一切。那我是不是看着我活了？我从来没有抱怨过吗？那么，为什么现在要欢欣喜悦呢？我高兴，那是当然的，但还未到鼓掌以庆的地步。我总是高兴，知道我会得到偿还。我的债务人，他现在正在那儿。这是一个欢迎他的理由吗？我不再回答问题。我也试图不再对自己提问题。人们将把我葬入土中，人们将不再在地上看到我。从现在开始到那时，我要给自己讲故事，假若我还能够讲的话。这可不是过去的那种故事，就是这么回事。这是一些既不漂亮又不丑陋的平平淡淡的故事，里面既无丑，亦无美，也无狂热，它们如同艺术家，几乎没有生命。我都说了些什么？这没关系。我保证给自己以满足，某一种满足。我满足，瞧，我成了，人家还我钱，我不再需要什么，请允许我首先说一句，我不宽恕任何人。我祝愿所有人过一种残酷的生活，然后便是地狱的烈焰与冰山，愿未来的万恶的后代怀有可称誉的回忆。今晚说得足够了。

　　这次我知道往哪儿去了。这不再是往昔的、过去的夜晚。这是眼前的游戏，我要玩。直到现在，我还不知道玩。我有过愿望，但我知道那时是不可能的。然而，我经常很上心。我到处惹火，我打量四周，我看到什么就拿来玩。人也好物也好，都只要求玩，某些动物也是。开始时不错，它们都来到我周围，很高兴有人愿意跟它们玩。假如我说，我现在需要一个驼背，马上就会来一个，以漂亮的隆凸物为自豪，表演他的节目。他不会想到我可能要求他脱衣服。但是不久我就在一片黑暗中孤单一身，所以我总是把残疾人、结巴当作自家人，总是拒绝去玩那些无奇的猜测、摸瞎子、伸臂走长路、捉迷藏等游戏。差不多一个多世纪以来，我可以说从未放弃过做这样一个严肃的人。而现在我要变了，除了玩我不想做别的事。不，我不愿一开始就夸口。但是，从此以后，我要花好大一部分时间来玩，假如我能够，要花大部分的时间。不过，我恐怕比不过以前了。我也许会像过去那样被孤孤单单地遗弃在一边，没有玩具，没有光明。那么，我会独自一人玩，我会像自己看着自己那样玩。想到还能够设计一个这么妙的计划，我不禁勇气倍增。

我一定在夜里思考了我的作息计划。我想我可以给自己讲四个故事，每个故事的主题都不同。第一个讲一个男人，另一个讲一个女人，第三个讲一样东西，最后一个讲一个动物，也许一只鸟。我想我什么都没遗漏。这样就好。也许，我会把男人和女人放在同一个故事里，一个男人与一个女人的区别是那么小，我是说在我的人物中。也许我没有足够的时间来结束。从另一方面讲，我也许又会结束得太早。我又陷入了自己悬而未决的疑难之中。但这是逻辑疑难吗？真的吗？我不知道。就算结束不了，也不要紧。但要是我结束得太早呢？那同样也不要紧。因为那时我将讲一讲仍占着我脑子的事，那是一个很老很老的计划。这将是一次清仓盘货。无论如何，我应该把这个留到生命的最后一息，只要我不搞错的话。再说，无论发生什么情况，这件事我非做不可。至多，我为它留一刻钟。也就是说，假如我真的愿意，我本可以留更长的时间。不过，要是在最后一刻时间不够了，我只需短短的一刻钟来列我的存货清单。我愿从此后我心里清清楚楚，而不古怪成癖，这是在我的计划中的。我清楚我随时随刻都有可能油尽灯灭。那么，不等不待地讲讲脑子里的事情不是更好吗？这难道不是更谨慎可靠吗？即便在最后的一分钟，只要情况需要，不是还可以做些修改吗？这就是理性给我的建议。可是现在，理性对我的控制还不那么牢靠。一切都促使我放大胆子。要真是死了而没有留下清单，我能忍受得了这一可能性吗？这不，我又重新吹毛求疵起来了。既然我要去冒一冒险，必须假定我会忍受。我一生都忍着不去制订这一计划，我对自己说：太早，还太早。那么现在呢，现在仍然还太早。我一生都在梦想这一最终时刻的到来，赶在失掉一切之前，确定它，画出线条，求出总和。这一时刻仿佛迫在眉睫。我却不会因此而失却冷静。就这样，我的故事得先讲，如果一切正常，那么最后的便是我的清单。我将以男人和女人的故事开始，只是为了以后不再见到他们。这将是第一个故事，没有理由分成两个故事讲。那么，现在总共有三个故事了，我刚说明的那个，然后是动物的那个，然后是物件的那个，或许是一块石头。这一切十分清楚。随后，我再处理脑子里的存物。假如这一切完了之后我还活着的话，就将做必需之事，只要我不搞错的话。就这么决定了。换言之，我不知道我要去哪里，但我知道我将到达，我知道长途的盲目跋涉终将完成。何等的差不离哟，我的天。很好。现在该玩了。我很难习惯这个想法。旧的流水账在叫唤我。现在，该说的是相反的话了。因为标得清清楚楚的这条路，我感到我也许走不到头。但是我满怀希望。我问自己我现在是不是正在失去时间或者反过来是不是正在赢得时间。我同时决定，在开始我的那几个故事之前，要简单地回顾一下我的现状。我想我是错了。这是一个弱点。不过，我会跳过这一点。到后来，我将怀着满腔的热情来玩。再说了，这将与清单相对称。无论如何，这样做是符合美学的，至少符合一种确确实实的美学。因为，我还必须重新变得严肃认真，好再讲一讲我脑子里的存货。就这样，我剩下的时间分成了五份。哪五份？我不知道。我猜想，到时候一切都会自然而然地分割的。假如我再要考虑考虑，那我就会赶不上我的死。我必须说，这一前景还真有一些迷人之处。不过，我可是有所警惕的。几天以来，我发现什么事儿都有它的魅力。还是回过头来说说那五份吧。先是现状,再是三个故事,最后是清单,就这样。这里也不排除某些小插曲。这是一整套编排好的节目。只有万不得已之时,我才会把话题岔开去。就这么定了。我感到我犯了一个巨大的错误。这没有任何关系。

现在的状况。这个房间似乎是我的。除此,我对我被留在这里没有别的解释。已经很长时间了。除非有着某种权势一定坚持要这样。而这又是不太可信的。为什么权势会对我改变初衷呢?最好还是采纳一种最最简单的解释,哪怕它没多少理由,哪怕它解释不了什么东西。耀眼的光芒不是必需的,一曳微光,一曳微小的忠实的光线则能使人在稀奇古怪中活着。我也许是在房间的前一个主人死的时候从他那里继承了这间房子。无论如何,我不往更远的过去追根溯源。这不是一间医院的或者精神病院的病房,这完全能够闻出来。我整日里竖起耳朵探听着,从早到晚始终没有听到什么可疑的、罕见的响动,我所耳闻的总是自由自在的人的平静的微声:起床、睡下、吃饭、走来走去,哭,笑,再就是寂静无声。当我透过窗户向外望去时,我从某些迹象看出来,我不是在一家疗养院里。不是的,这是在一幢表面上平平常常的房子里的一间普普通通的单人卧室。我已经记不清楚我是怎样进来的。也许是一辆救护车，反正肯定是一辆什么汽车送来的。某一天，我发现自己躺在这里的一张床上。我想必是在什么地方失去了知觉，只是后来才在这儿恢复了理智，这样，在我的记忆中肯定出现了一大段空白。至于到底是什么事件导致了昏厥，我原本不该不省人事的那时节究竟出了什么事，现在在我的头脑中没有留下任何清晰可辨的痕迹。然而，谁又没有这一类的遗忘呢？醉酒后的次日，人们通常都有类似的感觉。这些事件，我闲着无聊时经常把它们想象出来。不过，我总是没能真正做到以此解闷。我甚至也无法确确实实地认定直到在这儿苏醒之前我最后的记忆，我找不到它作为一个出发点。我肯定在行走，我一生中总是在走着，当然除了诞生之初的几个月以及自从我来到这里以后。不过在这一日之暮的黄昏时分，我真的不知道我那时是在哪里，也不知道我当时在想些什么。我还能够回忆起什么东西呢？从何回忆起呢？我回忆起一种氛围。我的青年时代更为绚丽多彩，就像我时不时地重新发现的那样。那时候，我还不懂得怎样才能在世上混出个样子。我生活在一种昏迷状态中。丧失知觉，对我来说，只是丧失一点小小的东西。

不过，也许有人把我打昏了，比如说在一座森林里。对，既然我说到森林，我就模模糊糊地想到了一座森林。这一切都是过去了。在报仇雪恨之前，我必须确定下来的应该是现在。这是一个普普通通的房间。我熟悉的房间不算太多，不过这一间在我看来似乎确实是普普通通的。其实，如果说我没有感到自己要死去，我就可以认为自己已经死了，正在咽气或者已经到了天国的一间房子里。但是，最后我终于感到自己剩下的时日已屈指可数了。仅仅六个月之前，我倒反而有更强烈的命归黄泉的感觉。假如有人向我预告：有一天我会以这种方式感到自己活着，我会一笑了之。这个也许不会发生，但是我，我会知道我会一笑了之的。我清清楚楚地记得这些最后的日子，它们给我留下的记忆比以往三万来个日子留下的还要多得多。相反的说法或许会不那么令人吃惊。当我要开列清单时，假如那时我的死期仍未来临，我将写下我的回忆录。瞧，我说了一句玩笑话。这很好，这很好。这里有一个大柜子，我从来没有瞧一眼里面都有些什么。我的东西乱七八糟地堆在一个角落里。我可以用我的长棍子拨弄它们，把它们钩到我跟前，再把它们打发到原来的位置。我的床紧挨着窗户。绝大部分时间里，我总是面向着窗户。我看到一些屋顶，我看到天，假如我再使一大把劲，还可以看到小街的一角。我看不到田野也看不到山岭。然而它们都在近处。除了这些，我还知道什么呢？我同样也见不到大海，不过每当风大浪高时，我能听到汹涌的波涛声。我可以看到对面房子的一个房间。有时候那里会发生一些稀奇古怪的事情。人们真是稀奇古怪。也许那是一些不正常的人和事。他们同样能看到我，看到我紧挨着窗玻璃的乱蓬蓬的大脑袋，我从来没有过像现在这么浓密、像现在这么长的头发，我这么说根本不怕别人会反驳我。不过在夜里他们看不见我，因为我晚上从来不开灯。我对这儿的星星有那么一点小小的兴趣。但是，我从来没能够理清头绪。一天夜里，看着看着星星，我突然看到自己在伦敦。难道我可能一直行进到了伦敦吗？群星又与这个城市有什么相干？幸好，月亮还是那个熟悉的月亮。现在，我已经对月亮的运行轨迹和出落方位了解得清清楚楚，什么时候我可以在天空找到它，哪几个夜晚它不出来，我都算得个差不离。还有什么呢？云彩。它们真正是变化多端，真正是千变万化。还有各种各样的鸟儿。它们飞到我的窗台上，叽叽喳喳地乞食吃！这实在是一幅感人的图画。它们用尖尖的喙敲打着窗玻璃。我从来就没有给过它们一点东西。

但是它们总是飞到这里来。它们等待着什么呢？它们并不是可怕的大老雕。人们不仅仅把我留在这儿，人们还照顾我！现在就请看是怎么一回事。门打开了一小半，一只手伸进来把一份饭菜放在一张早就摆在那儿的专门用来放饭菜的小桌子上，同时拿走头一天剩下的饭菜，门又重新关上。每一天，很可能还是同一时候，人们为我做这一切。当我想吃喝一通时，我用我的棍子钩住小桌子，一直把它拉到身边。桌子是有轮子的，它向我滑滚过来时发出一阵尖利的吱咛吱咛声，好像一边的轮子要向左去，另一边的轮子要向右去。当我不再需要它时，我再把它推到门边上。这一次是菜羹。他们想必知道我已经没有了牙齿。一般情况下我只吃一半，或者只吃三分之一。当我的夜壶满了时，我把它搁在桌子上饭菜的旁边。那时候，我就整整二十四小时没有夜壶。不，我有两个夜壶。一切都预备得好好的。我赤裸裸地躺在床上，只有被单盖身，我根据季节的变化增添或减少被单的数目。我从来不受热，也从来不挨冻。我不梳洗，但我也不变脏。假如我觉得自己什么地方脏了，我就用手指头蘸上点儿唾沫搓揉一番。如果你想把命维持下去，关键在于进食和排泄。尿壶和饭盒，这就是两极。一开始，事情不是这个样子的。一个妇女来到房间里，在我身边忙这忙那，探询我的需要和我的意愿。我费尽力气总算让她明白了什么是我的需要，什么是我的意愿。我说得很累。她听不懂。直到有一天，我找到了适合于她听力的词汇和语调。所有这一切应该有一半是想象之中的。是她为我弄来了这根长棍。棍上安了一个钩子。全靠这根棍，我可以控制这个小房间的任何一个地方，哪怕是最远的角落。我对木棍欠下的债真是大得难以说清。我几乎忘记了它们帮我转达了多少意愿。那是一个老年妇人。我不知道为什么她对我那么好。对，我们不妨称之为善良吧，这用不着挑剔词儿。对她来说，肯定是善良。我猜想她的年龄恐怕比我还要大。但实际上只不过是她保养得不太好吧，尽管她经常活动。也许她在某种程度上属于房间的一部分。在这种情况下，她的所作所为的动机也就用不着我们到别处去考察了。不过，也不能排除另一种情况，即她是出于仁慈，或是出于一种对我个人的不那么普遍的怜悯与同情的感情。一切都是可能的，我最终也将相信这一点。但是，为了贪图省事，我们不妨假设她是和这个房间一起从法律上转归到我的名下的。我不再见到她了，除了一只瘦骨嶙峋的手和一段袖子。甚至连这一点也没有，甚至什么都没有。她也许已经死了，先我而逝了，现在也许是另一只手在置备和打扫我的小桌子。我不知道我来这儿已经有多长时间了，我好像已经说过了。我只知道在我来到这儿以前我已经很老了。我说我已是九旬老翁了，不过我无法证实。我也许只有五十多岁，或者八十多岁。自从我不再计算，我是说计算我的年龄，已经有无穷无尽的年月了。我知道我出生的年份，这个我没有忘记，不过我不知道我来到这里时是哪一年。但是我认为我来到这里已经有相当一段时间了。因为我清楚地知道，一个又一个消逝的春秋对我这个围在墙内的人来说会是什么东西。这个不是一年两年就能够学会的。一整天一整天的工夫在我看来仿佛能够停留在两次眨眼之间的瞬间中。还剩下什么东西要补充吗？或许再说几句关于我自己的话吧。我的身体按照一般的说法也许稍稍有些残疾。除此之外，也就没有什么可说的了。有那么几次，我甚至都拖不动我自己了。我的胳膊一旦举到一定位置，还是能够有力地运动的，但要将它们运用自如，那可就要费老大劲了。兴许是红核变白了。我有时身子会颤抖起来，但仅仅是有一点而已。对床绷的抱怨是我生命的一部分，我是不愿意让这抱怨停止的，我是说我不愿意让它减轻多少。我觉得躺得最舒服的姿势就是脊背着床，也就是说俯卧，不对，是仰卧，只有这样我才不那么硌得慌。我仰着睡，脊背着床，不过我的脸颊贴着枕头。我只须睁开眼睛就能让天空与人间的烟火重又进入眼帘。我的视力和听力都不怎么行了。大海只是由于反光而被照亮，我的感觉针对的是我自身。我不是为了感觉沉默、黑暗与无味。我远离着血流与呼吸的悄然之声。我将不会谈论我的痛苦。我沉浸在痛苦的最深处，我无所感觉，正是在这里面我不为我那麻木的肌肤所知地走向死亡。人们所见的，那发出的叫声与做出的动作都是其次的东西。它们不认识自身。在这杂乱之中的某个地方，思想在激烈地活动着，与人们的估计大不一样。思想也在寻找着我，一如既往，在我不在的地方寻找着我。它也不懂得安静安静。我受够了。愿它把它的垂死者的狂怒转移到别人头上去吧。这期间我将安安稳稳地处于静谧之中。这似乎就是我现在的状况。

男人姓萨泼斯卡。如同他的父亲。名字呢？我不知道。他将不会需要名字。亲近的人叫他萨泼。都有些谁？我不知道。说几句关于他青少年时代的话吧。这总是必要的。

这是一个早熟的男孩。他不是一块读书的料，他看不到别人让他做的作业学的功课会有什么用处。他上课时总是心不在焉，或者说脑子里空空如也。

他上课时总是心不在焉。但是他喜欢算术。但是他不喜欢别人教他算术的那种方式。他感兴趣的是对具体数字的操纵运用。整个算术在他看来是无益的废物，因为单位的性质没有明确。无论是公开场合，还是私下里，他都醉心于心算。那时候，他头脑里的数字会一个个有形有象有颜有色地活动起来。

真没劲。

他是老大。他的父母贫穷而多病。他经常听到他们在谈论要想让身体保持健康要想多挣钱就该如何如何。他每次都为这些谈话的模糊不清而感到吃惊，他毫不奇怪这些话总是虎头蛇尾地不了了之。他父亲是一家商店的售货员。他对他妻子说：我必须找到能在晚上和星期六下午工作的地方。他以一种垂死挣扎的腔调补充道，还有星期天。他妻子答道：可是，你要是加倍地工作，你会病倒的。于是萨泼斯卡先生也就同意这种说法，确实，他不应该在星期天还不休息休息。至少，这还得装腔作势一番。不过，说到不能够在平日的晚上和星期六下午去干活,他也并不痛苦万分。干什么去呢?他的妻子说。也许抄抄写写,他回答。那么谁来拾掇园子呢?他妻子说。萨泼斯卡家的生活充满了公认的原则,其中之一便是收拾一个荒唐得近乎罪恶的没有玫瑰的花园,还有草坪,以及乱糟糟的小径。要不我种蔬菜吧,他说。买蔬菜比种蔬菜更便宜,她说。萨泼如痴如醉地听着这些个谈话。想想肥料的价钱,他母亲说。在随之而来的寂静中,萨泼斯卡先生沉思着,带着他做任何事情时都有的那副严肃样子,肥料的昂贵妨碍他为家人带来一种稍稍更为宽裕的生活,他想着想着,等待他的妻子也从她那方面来自我指责一番,承认自己并没有付出她能够付出的最大努力。不过,她倒是很痛快地承认说,她确实不知道如何做得更多更好而又不让她的日子遇到危险。想想请医生的费用,那可是我们辛辛苦苦积攒起来的,萨泼斯卡先生说。还有买药的费用,他妻子说。他们所剩无几,只够考虑一所更为简陋的房子。可是,我们已经过得很拮据了,萨泼斯卡太太说。而言下之意是说他们今后的日子恐怕还会每况愈下,一直到有一天大孩子们的出门抵消了小婴儿们的出世,家庭经济终于建立起某种平衡为止。随后,房子里会越来越空。而最终他们就将只剩下两人,每日里伴随着他们的回忆一起度日。那时，就该是搬家的时候了。他将到退休年龄，而她也没有力气干活了。他们将在农村买一所农舍，在那里他们不再需要肥料，便尽可以为自己弄到整车整车的货。他们的孩子为他们所做的牺牲而感动，也将来帮他们一把。他们的私下交谈常常这样，在黄粱美梦中结束。人们几乎可以说，萨泼斯卡一家在他们的残破不堪的憧憬中汲取了生活的勇气。不过，有时候，还不到最终的美梦之境，他们的话题就转移到了他们的长子身上。他有多大年纪了？萨泼斯卡先生问道。他的妻子递上一本登录簿，这也就是说，此事不归她管。她总是弄错。数字又错了，萨泼斯卡先生重新登录，一而再再而三地重复说，嗓音低沉，做出一副十分吃惊的样子，仿佛这是人们不可少的某种食品——比如说肉食店里的肉——又涨了价。同时，他在他儿子的面孔上寻找着是不是有什么比他刚才发现的更柔和的东西。至少，他还算得上是个美男子吧？萨泼瞧着父亲的脸，忧愁，惊诧，多情，失望，依然满怀信任。他是在想岁月的无情流逝，还是在想时光已把他的儿子变成了一个挣工钱的人？有时候他无可奈何地叹息，遗憾自己看不到儿子更为迫切地想成为一个有用的人。他最好还是去准备他的考试，他妻子说。从某种既成的动机出发，他们的想法很难达到一致。他们之间其实没有严格意义上的谈话。他们滥用话语有那么一点点像火车站站长使用他的旗子或是他的信号灯。要不然，他们就彼此说，咱们就谈到这儿吧。他们儿子的成绩单一旦被送达，他们便愁眉苦脸地自问，笔试完了蛋，口试又出尽洋相的小子，是不是压根就没有上等人的精神特征。他们不能满足于总是静悄悄地打量着同一张脸。至少，他的身体很健康，萨泼斯卡说。不完全见得，他的妻子说。但是什么都没有写上啊，他说。在他这年龄，要写上什么那就全完了，她说。他们不知道他为什么要献身于一门自由职业。这又是一件不言而喻的事。所以，他要再不能胜任，那就实在是不可设想的事了。他们希望看到他成为医生。当我们老了，他会给我们治病，萨泼斯卡太太说。她的丈夫回答道，我看他还是当外科医生好，仿佛过了一定的年纪，人们就不可救药了似的。

真没劲。而我把这个称作玩。我自己问自己，尽管我小心提防，这玩意儿玩到后来是否仍还会玩到我自己头上。难道我不能胜任在别的事情上撒谎，一直撒到最终吗？我感到黑暗正在堆积，孤独正在扎下根，从中我重新认出自己，我把自己称为无知，它可能会显得美丽大方,但它只是一种懦弱。我连自己说了些什么都不怎么知道了。人们玩的可不是这样的。很快,我将不再知道他——我的小萨泼——是从哪里钻出来的,也不知道他希望做些什么。我恐怕还不如把这个故事先搁下放一放,转而先讲第二个故事,或者干脆先讲第三个故事,即石头的故事。不,这样做也是换汤不换药。我只是应该更加小心谨慎才对。我要将我已经说的认认真真地思索一番,然后再走得更远。在每一次崩溃衰亡的威胁面前,我都要停下脚步仔细审视一下自身的状况。这恰恰是我想避免的。但这无疑是唯一可行之策。在这一番泥浆之浴后,我将更善于接受一个世界而不在其中撒下污点。何等的推理方式。我将睁开双眼,我将看到自己战栗,我将吞下我那份菜羹,我将瞧着我那一小堆东西,我将向我的身体发布一道道古老的命令,然而我知道得清清楚楚,它已然是没有什么能力去执行它们了,我将调动我那已过时的思维意识,我将垂死挣扎一番,使我的意识在垂危之际更加欢跃地活动,尽管它已经远离了不断膨胀着的世界,最后,我将任由自己溘然逝去。

我已经试着好好思量了一番我故事的开端。这里面有一些我不明白的事情。不过,这是无关紧要的。我只要继续下去就可以了。

萨泼没有朋友。不，这样不行。

萨泼和他的小伙伴们相处得很不错，只不过他并没有真正获得他们的友爱。调皮捣蛋的差生很少会是一个孤独者。他打拳击练摔跤样样不赖，跑起步来也轻松如云，说起老师的坏话不乏幽默，甚至有时回答老师的提问也出言不逊。跑起步来轻松如云？居然还有这种事。有一天他被老师的提问逼得急了眼，便大吼起来：我不是已经跟您说了我不知道吗！他把自己的绝大部分时间都耗在学校里了，因为他常常被罚做作业，还被关晚学，通常在晚上八点左右才能回家。他哲人一般达观地忍受着这些个欺侮，但是，他从不让人打他一下。有一次，一个老师在苦口婆心的说理白费了劲之后，抄起戒尺逼到了萨泼跟前，萨泼从老师手中一把夺下武器，嗖的一下往窗外扔去，那还是在冬天，窗玻璃全都关死了。这样就有了反弹退回的物体。不过，那时也好，以后也好，萨泼都没有被退回去。我要冷静地思考萨泼是因为什么理由没有被勒令退学，他当时完全有足够的资格被退回家去的。因为我想，在他的故事里不明不白的疑影越少越好。一个小小的疑影在这时候本不是什么大问题。我们不再去想它，我们在光明之中继续前进。但是我认识疑影，它会日积月累，会越聚越浓烈，最后突然爆裂，吞没一切。

我一直没能弄清楚是什么原因使他没有被退回去。我可能不得不让这个问题悬在那里了。我尝试着不因此而欢欣鼓舞。很快，我将把他——我的萨泼——扯离这一令人无法理解的宽恕，我将让他活得就仿佛他罪有应得地受到了惩罚似的。我们把背转向这朵小小的阴云，但是我们还将在眼睛里看到它。它不会在我们的不知不觉之中遮住天日，我们不会猛然地抬起眼睛，掠过无垠的旷野，远离着一切遮挡，望向一片墨黑色的天际。这就是我已决定的事。我看不到还有别的什么决定。我尽力而为吧。

十四岁时，他已成了一个肌肉发达、脸膛红润的棒小伙子了。他有着粗大的手腕和脚踝，这使得他母亲说他有朝一日会长得比他父亲还高还大。真是奇怪的推断。但是最令人惊奇的，是他圆圆的大脑袋，脑袋上的金黄色头发又硬又卷，像是刷子上的毛。甚至他的老师们都无法隐瞒他们的惊奇，他们发现这是一个聪明的脑瓜，而恰恰因为他们无法往这里面灌输什么东西，这脑瓜才使他们觉得尤为顽固。总有一天，他会让我们大家大吃一惊的，他父亲脾气很不错的时候这样说道。他能够形成这一观点，而且顶着大风大浪坚持这一观点，全靠了萨泼的脑袋。不过，他忍受不了儿子的目光，总是避免与他见面。他的眼睛像你，他妻子这么说。萨泼斯卡先生急于一个人留下来，好能够到镜子前瞧一眼，看看他的眼睛到底是什么样子的。它们有些泛蓝。还要更浅一些，萨泼斯卡太太说。

萨泼热爱大自然，感兴趣①

多么不幸。

萨泼热爱大自然，感兴趣的有动物和植物，他还喜欢抬眼仰望天空，无论在白天还是在晚上。但是他不知道怎样去看这些东西。他朝它们投去的目光并没有给他带来任何关于这些东西的知识。他分不清各色各样的鸟儿，辨不明各种各类的树木，他也不能讲明这一种庄稼跟另一种庄稼有什么区别。他不会把藏红花

---

① 原文此处即没有标点，后文不再说明。

跟春天联系在一起，也不会把雏菊与晚秋结合起来联想。太阳、月亮、行星和恒星对于他倒没有什么问题。这些奇怪的有时甚至很美丽的东西，他在一生中见惯了它们在他身边转，有时候他好奇地想对它们知道一二，但总的来说，他心安理得，而且颇为兴奋地停留在一无所知的程度上，就像周围的人们嗡嗡不停地唠叨的那样：你的头脑太简单了。但是，他喜爱老鹰的飞翔，而且能够从万事万物中认出它来。他常常一动不动地目随着它那长时间的滑翔，那颤栗不已的等待，那为俯冲直下而准备的展翅，那被需要、被自豪、被耐心、被孤独刺激起来的狂烈的升腾。

我仍没有放弃。我喝完了我的菜羹，把小桌子推回到门后的原位。对面房子里两个窗户中的一个刚刚亮了灯。通过两扇窗子，我听到了我不用把脑袋从枕头上抬起来就能够看到的窗户的响动。说得确切一点，这不是两扇完整的窗子，而是一整扇窗户和另一扇窗户的小小一部分。正是这后一扇窗刚刚亮了灯。有那么一会儿工夫我可以看见一个女人走过来又走过去。随后，她拉上了窗帘。一直到明天，我都不能再见到她，也许时不时地还能看到她的影子。她并不总是拉上窗帘的。男人还没有回来，我要求我的脚和我的腿做一些运动。我是那么熟悉自己的腿脚，我能够感觉到它们为了服从我的命令而做出的努力。我和它们一起生活在这一段小小的时间里，其中的一整出戏就维持在命令的接受和令人遗憾的回答之间。对那些老狗来说，当主人手持木棍在晨曦中走出大门，并以一声呼哨召唤它们而它们却再也冲不开步子时，这时，生命的暮钟敲响了。于是它们留在窝里，或者在挎篮中——尽管它们没有被捆缚住——听着脚步声渐渐远去。人同样也忧愁不已，但是，清新的空气与阳光很快安慰了他的心，他不再去想他的老伙伴，一直到晚上。家中的灯光在欢迎着他归来，一阵微弱的吠叫使他醒悟过来，说道：该是我扎它一下的时候了。这就是一块漂亮的好肉，等一会儿还会更好。我要在我的那堆杂物里翻找一通。随后，我要把我的脑袋蒙在被单下面。再往后，一切会变得更好，无论是对萨泼，还是对跟随他而来的那位，那一位只是想跟随他而来，并听凭他的引导，沿着光明的尚可容忍的道路而来。

萨泼的安静与沉默并不是为了取悦人的。在学校中也好，在家里也好，他常常于喧闹之中一动不动地留在自己的位子上，而且经常是站着,瞪着两只浅色的眼睛像海鸥一样目不转睛地盯着前方。人们不禁要问,他这样几小时几小时地待着真不知道在幻想些什么。他父亲猜测他是被性的醒悟所困扰。十六岁时我也一样,他说道。十六岁时,你已经会挣钱了,他妻子说。这倒是真的,萨泼斯卡先生说。而他的老师们则干脆认为这不是别的,就是纯纯粹粹的发呆。萨泼任自己的下巴耷拉下来,让嘴巴大开着透气。人们实在看不出这一表情为什么与色情的意念不能兼容。不过,实际上他倒不怎么想姑娘们,他更多地在想他自己,想他自己的生活,想他未来的生活。这里面有的是让一个聪明敏感的男孩想入非非的东西,有的是让他的下巴骨耷拉下来,让他的鼻子堵上一阵子的东西。但为完全起见,我要给我自己留一小段时间休息一下。

这双海鸥般的眼睛让我心惊肉跳。它们使我回想起一次古老的海难,我记不起是哪一次了。这显然是一个细节,但是我变得胆小怕事。我知道这些小小的看起来没有什么了不起的句子,它们一旦被采纳,便会毒化你整个的语言。没有什么比空无更真实的了。它们从深渊中发生,不拖回原处便永不休止。但是我这一次我将会自卫。

那时,他十分遗憾自己没曾想过学一学思维的艺术,没能像他的拉丁文老师那样,一开始就把第二根和第三根手指头屈起来,以便更好地把食指按在主语上,小指头按在谓语上,也没能够对那些奔驰而来涌现在脑海中的怀疑、渴望、想象与畏惧的莫名其妙的词语置之不理或装聋作哑。只要他的气魄与胆略稍微欠缺一点,他也就会抛弃,就会拒绝去了解他是以什么方式存在着的,他将以什么方式去生活,他将在一个荒谬的世界中如异乡人那样盲目地活着,被人征服。

从这些梦幻中苏醒过来时,他疲惫不堪,脸色苍白,这一切更坚定了他父亲的感觉,认为儿子已经成了色情思虑的俘虏。他应该更多地参加体育锻炼,他说。会进步的,会进步的。人们曾对我说,他会是一个优秀运动员,萨泼斯卡先生说,而现在他连一个运动队都不参加了。是他的学习占用了他全部的时间嘛,萨泼斯卡太太说。可他老是最后一名,萨泼斯卡先生说。他喜欢步行,萨泼斯卡太太说,长途步行给他带来好处。于是萨泼斯卡先生不禁冷笑了一下,想起了长途的孤独步行给他儿子带来的好处。有时候他甚至冒冒失失地说:也许,也许还不如给他寻一门手艺活呢。听到这里,照一般的习惯——甚至可以说是惯例——萨泼是转身就离开的,同时,他母亲就会大喊起来,哎呀,阿德里安,你使他多么难为情啊!

会进步的。没有什么比这个男孩与我更不相像的了,这个满怀理智、耐心十足的男孩子,成年累月地努力看清自己的内心深处,渴望着一丝丝微弱的光亮,而对阴影的魅力则无动于衷。这就是我所必需的轻盈、稀薄的空气,而远远不是会让我完蛋的具有营养的浓雾。我将再也不回到这一具骨骼中来,除非是为便于掌握时刻。我会在最终跃入水中之前再回顾此处,最后一次把这个亲爱的古老舱口压在我身上,向着我曾经住过的贮藏舱道一声永别,然后与我的住所一起沉没在黑暗的漩涡之中。从感情上说,可行。但是,从现在起到那时为止,我还有时间,脚踏实地地在这个正直的同伴身上嬉戏玩耍一番,我总是那么渴望与他交往,总是那么希望能将他研究一番,可他却从来不肯接受我。对,我现在心绪平静,我知道这一局赢了,尽管我输了所有其他各局,毕竟最终一局才是举足轻重的。假如我不怕自相矛盾的话,我会说,这活儿干得漂亮。害怕我自己自相矛盾!假如再这样继续下去,我将输掉的就是我自己,以及一千条通向彼处的道路。我将像寓言中倾家荡产的不幸者一样,被他们得到满足的心愿的重负压垮。我甚至感觉到一股奇特的渴望攫住了我,想知道我在干些什么,为什么干这些,并且将它说出来。由此,我触及了我从年轻时代起就曾经设定的这一妨碍我生活的目标。在此行将离开人世间的前夜,我终于成了另一个人。这一切不免有些讽刺。

暑假。早上他上专门补习班。你是要叫我们破产,萨泼斯卡太太说。这钱值得花,她的丈夫答道。下午他出门,书本夹在胳肢窝下,借口说外面空气好,更容易看得进书,不,他什么都不解释。一溜出镇子口,他就把书本藏在一块石头底下,跑到田野里去撒欢。这个季节,田里的庄稼活紧得不能再紧,而慷慨大方地长留在天空的日光都不足以让农人们干完应该干的活儿。人们常常还得利用皎洁的月光做着日间的最后一次,通常是长途的运输,从庄稼地一直到谷仓或是到打谷场,要不然就是修理机器农具,为即将来临的清晨做准备。即将来临的清晨。

我睡着了。然而我是不打算睡着的。在我

的时间安排表中已经没有睡眠的时间了。我不打算——不过我没有什么解释可以奉告。昏迷对活着的人来说是好事。所有人总是攻击凌辱我,这可不是一句空话,我恶狠狠地盯着他们,嘴里哼哼唧唧地抱怨个不停,然后,我杀死他们,要不然,我也站到他们的立场上,再不然我就溜之大吉。我感到胸中升腾起这一股古老的疯癫的烈焰,但是我知道,这狂热将不再拥抱我了。我停止了一切,我等待着。萨泼一条腿站立着,他无法动弹,他古怪的双眼紧闭着。乱哄哄的人群拿灯火照亮他,他们僵呆着,呈现出五花八门的荒谬姿势。小小的一片云在他们荣耀无比的太阳面前飘过,将给大地带来一片阴影,我想让它阴多久,它就将阴多久。

　　活着并创造。我尝试了。我该是尝试了。创造。这可不是一句空话。活着,也不是空话。这没有关系。我尝试了。在此期间,庄重这一猛兽在我的心中徘徊,它狂怒着,咆哮着,撕咬着我。我做了这些。同样孑然一身,深深藏匿,我表现出自命不凡,孑然一身,整小时整小时地一动不动,而且常常是直立着,嘴里哼哼唧唧的,一副神魂颠倒的样子。正是这样,哼哼唧唧。我不知道怎么玩。我转过身子,拍着手,跑着,喊着,看到我输了,看到我赢了,一会儿惊喜万分,一会儿痛苦异常。然后,我突然扑向了游戏的器具——若是有器具的话——把它们毁个稀巴烂,或者扑向一个小孩,让他从快乐变成尖叫,再不然,我就逃之夭夭,我飞跑着,快快地将自己藏起来。他们追着我,这些大人,这些公正的人,把我抓住,把我揍一顿,让我回到已在进行着的活动中,回到牌局中,回到欢乐中。这是因为我已经成为庄重手下的猎物。那曾是我的一大毛病。我跟某些梅毒患者一样生下来就十分严肃。我确实是非常严肃地试图不再这样下去,试图活着,试图创造,我很懂得我自己。然而在每一次新的尝试时,我却头脑发热,如同奔向拯救那样地飞速奔入我的黑暗之中,我扑倒在那一个既不能体验也不能忍受在别处的场景的人的膝下。生活体验。我嘴里说着这个词,心中却不知道它意味着什么。我尝试,却不知道我在尝试什么。也许,我归根结底已经生活体验了,而只不过对此依然懵懂不知。我自问为什么我要说这一切。噢,对了,为了解闷消遣吧。活着并让人活着。再也不必打文字官司了。文字并不比它们所能携带的更为空洞。失败之后,是安慰,是休息,我重新开始,打算活着,让人活着,成为他人,在自身之中,在他人之中。这一切多么虚假。我还从未遇到过类似的事呢。我准备应付最紧急的情况，我重新开始。不过，渐渐地抱定了另一个意图。再也不打算成功，而只打算失败。这里有一种细微的区别。当我首先从自己的洞中爬出，随后在一片刺目的光芒中走向不可企及的食粮时，我想达到的，是眩晕、失控、坠落、吞没的出神入化，是回归于黑暗、于空无、于庄重、于居所时体验到的一种迷惑，是见到一个永远等待着我的人时的一种陶醉。这个人曾经需要过我并且我也需要他，他把我紧紧抱在怀中，并对我说不要再走了，他把位子让给我，并关心照看我，他每见到我要离开就痛苦万分，我那么多次让他担惊受怕，却没有几次让他满意，我从来没有见到过这样一个人。我已开始激昂不已。这里涉及的不是我，而是另一个，他本不值得我这样，而我试图羡慕他，甚至到末了还要讲述他那平淡无奇的遭遇，我真不知道他有怎样的一段遭遇。而我，我也从来不知道怎么讲述我自己，并不比活着或讲述别人的事更清楚这一点。我本该怎么办呢，既然我从来没有试验过？在此刻我行将消亡的前夜，来显露我自己，承蒙着同一种可以承蒙的恩惠，与陌生人同时显示于众，这或许会不乏动人之处，然后继续活着，还有一段时间，尚可以在我紧闭着的双眼后面感觉到别的眼睛的闭上。何等的结束。

集市。农村与城市之间关系的不完美并没有逃脱优秀的小伙子的眼睛。在这一题目上,他加上了以下对真理的思考,一些可能很近,另一些无疑比较远。

在他的家乡,从饮食这一层次上说,那些——不,我不能。

那些农民。他在那些农民家的访问。我不能。他们聚集在院子里,看着他流淌着口涎,迈着跟跟跄跄的步子离去,仿佛他的脚感觉不到土地的软硬。他时不时地停下步,摇摇晃晃地等上一会儿,然后再开步,奔向一个谁也始料不及的方向。在他的步态中,有着某种漂泊不定、见风使舵的意味,大地仿佛让他如同汪洋大海中的一条小船那样颠簸不已。当他经过一阵子休息又开始迈步时,他使人联想到一大片羽绒被风从它原来待着的地方刮起来。

我稍微摆弄了一番我的东西,把它们一一分开,然后再把它们拨到我跟前,好更清楚地看一看。我在用脑子想着我拥有一些什么东西时,一般是不怎么会弄错的,我完全可以闭起眼睛不看它们,而随时随地八九不离十地把它们讲述出来。不过，我还是想搞它个确实无疑。我做得极好。因为现在我知道了，尽管直到现在我还一直津津乐道于这些物件的形象，尽管它们的形象与我的想象在总体上尚能对得上头，但它们在细节上就远不是那么一回事了。那么现在，我并不打算失去这唯一的机会，使某种真理的宣告成为可能，而且由此使人几乎承认这一真理。我希望从现在起一切的模棱两可最终将被排除。但愿当白日来临时，我有可能清清楚楚地宣布它长久的等待为我带来的、为我留下的一切，既不增添一丝又不遗漏一毫，使它们成为实实在在的物质。这想必是一种摆不脱甩不开的缠人顽念。

于是我看到，我曾把某些个早已不在我掌握之中的物件仍算在我的归属物中，反正我看到的就是如此。它们会不会滚到某件家具后面去呢？这样倒反而会使我吃惊，一只鞋，比如说一只鞋，它可能滚到某件家具后面去吗？然而，我只看见孤孤单单的一只鞋，在哪件家具后面呢？就我所知，这间房子里只有一件家具有可能横置在我与我的那堆杂物之间，我说的是大衣柜。但是，它是那么紧地靠在墙上，靠在两堵墙上，因为它摆在角落上，看起来它好像已成了墙角的一部分。你也许会对我说，我的高帮皮鞋，因为它正是一种高帮皮鞋，会放在大衣柜里面。我也曾有同一想法。但是我探访了它,大衣柜,我的棍子探访了它,打开一扇扇的门,一个个的抽屉,也许这还是第一次打开呢,到处搜寻一番。一无所有。大衣柜远没有搁藏我的高帮鞋,倒是空空如也。不对,这只高帮鞋我已经没有了,另外一些我以为还保存着的不怎么值钱的东西也不见了,比如说一只光灿灿的锌质戒指就找不到了。反之,我在这一堆杂物中居然也发现了至少三四件我早已想不起来的东西,其中之一,一个烟斗,我是怎么也回想不起来了。我从来都不记得我还曾抽过烟斗。我记得小时候倒是用一种烟斗似的管子吹过肥皂泡,从管子里吹出红红绿绿虹一般多彩的泡泡,然后把它们一个个甩出去。无关紧要的啦,这烟斗无论是从哪里来的,反正现在属我了。我的许多财宝都是这般从天上掉下来的。我还发现了一个用发黄的报纸包着并用细绳捆扎的小小包裹。它肯定有着什么来头,可到底是什么呢?我把它钩到身边,紧挨着床,并且像使捣槌一样地用棍子的大头轻轻地戳着它。而我的手能体味,它能体味到柔软与轻巧,我想,这要比用手直接地掂来掂去要体味得更细。我不想打开它,我也不知道这是为什么。我把它推回原处,和别的东西在一起。到一定时候,我也许还会讲到它。我将说，就现在我所理解的，如上所述，是一个小包裹，软软的，像羽毛那么轻，用报纸包着，用绳捆着。这将是我的小秘密，属于我自己的小秘密。它也许是十万卢比。或者是一绺头发。

我还对自己说，我必须加快速度。真正的生活不宽恕这过度的情况。正是在这些东西上狡猾的人窥伺等候，就像淋球菌在前列腺的褶弯中蠢蠢欲动。我很忙。某一天，当一切在阳光下闪闪发光、笑逐颜开的时候，这里面会突然出现大块大块乌黑低垂的厚云，令人永生难忘地侵袭进来，将蔚蓝色一劳永逸地夺走。我的处境确确实实很微妙。因为害怕，我将失去多少美妙的东西，多少重要的东西，害怕重新陷入陈旧的错误中，害怕不能够及时结束，害怕生平最后一次搅起忧愁、无力、仇恨的死水微澜。万物之形万般多端，而永恒之本则以无形为本。噢，对了，我的头脑中总是萦绕着强烈的想法，尤其是在开春季节。几分钟以来这想法又在折腾着我。我甚至敢说，再也没有比这更强烈的想法了。无论如何，完结不完结并不重要，我必须说清这一点。微弱无力的愿望本身没有什么特别见不得人的东西。然而，问题是不是就涉及这个呢？还有一些机会。我只愿我最后的想法能一直讲到生命的终结，我必须改变主意。就这些。我明白自己。假如我的生命之程缩短了，不够了，我会感觉到的。我只是想知道，对那个做了如此良好开端的人而言，在他自己抛弃他的所作所为之前，只有我的一死才能阻止他继续下去，征服，丢失，享受，痛苦，腐烂，死亡，甚至在我活着的时候，他也要等着他的躯体的死亡而真正地一死。这就是所谓的节制其需求。

我的躯体还没有做出决定。不过我认为它在床绷上躺平了，押开了，称的分量会更重一些。当我能够感觉到自己的气息时，我呼出的气以其声响充满了房间，而我的胸膛并不比一个熟睡的儿童动得更为剧烈。我睁开眼睛，长时间地注视着前方，像个很小的小孩子，像个小婴儿，眼皮一眨都不眨。我的目光质疑着种种新的景象，随后是种种旧的景象，夜空。在它与我之间是窗玻璃，岁月的尘埃为它蒙上了一层灰雾，文上了大理石一般的斑纹。我一厢情愿地朝那上面吹气，但它离我太远了。真没法叫人相信。不过也没有关系。我的气息也不会让它失光褪色的。这是一个暴风雨中的明亮的夜，卡斯帕·大卫·弗里德里希[①]很喜欢这

---

① 卡斯帕·大卫·弗里德里希（Kaspar David Friedrich，1774—1840），德国画家。

一类夜。这个姓回到了我的脑中,还有这名字。在清澈明朗的背景下,云团在风的撕劈下奔腾,碎成小片片。假如我有耐心,我还可以看到月亮。不过我没有耐心。既然我在看,我也听到了风声。我闭上眼睛,风声与我的呼吸声混成一团。字词与图像在我的头脑中旋转翻滚,永不枯竭地突涌出来,一个接一个地掠过,又被撕裂,消失得无影无踪。然而,在这一片喧闹之上,是一种巨大的安宁,一种冷漠。再也没有什么能真正地啮噬我的内心了。床绷凹下去一块,就像个饲料槽。我就躺在槽底,夹在两边的斜坡中。我稍稍侧身,拿嘴巴和鼻子顶着枕头,将我那一头现在想必已经全白的老毛埋在里面,拉上被单盖住了脑袋。在躯干的深处,我又感到隐隐约约难以道明的痛苦,好像是新的陌生的痛楚,我认为背脊尤其痛。它们来得很有节律,甚至还有某种小曲的味道。它们是浅青色的。我的上帝啊,所有这一切都是可以忍受的。我的脑袋几乎扭到了背后,就像鸟儿们那样。我张开嘴唇,现在我感到枕头进到了我的嘴里,我感到它顶着我的舌头和牙龈。我舔着枕头,我舔着。我吮吸着。我结束了寻找自身。我埋没在宇宙之中,我曾知道有一天我将在其中找到我的位置,古老的宇宙保护着我,像保护一个胜利者。我是幸福的，我曾知道有一天我会幸福的。但是，我不太明智。因为在我看来，眼下明智的事似乎就是放任自流在这幸福的瞬间里。可是我在干些什么呢？我仍然在返回到往日，返回到我本如此喜爱的田野，返回到飘荡着朵朵棉絮般又白又轻的小云团的蓝天，返回到我不曾懂得捕捉的生活。我不曾懂得生活也许是因为我的过错，也许是因为高傲，也许是因为谦卑，不过我不以为。牲畜们啃吃着牧草，太阳晒热了岩石，把它们照得发亮。是的，我放走了我的幸福而返回到人们之中，他们常常肩负着重荷，忙忙碌碌地来往不止。也许我对他们的评判不太公正，但是我不以为。再说，我并没有真的评判他们。我只是想再最后一次地试着去懂得，去开始懂得，为什么这样那样的生命是可能的。不，这并不涉及懂不懂的问题。那么涉及什么呢？我不知道。不过我仍然要深入进去。我也许本不该的。夜晚，风暴，不幸，灵魂的僵直症，这一次我将看到这一切是多么好。在我们之间，一切还没有都说出来，在我和……不，一切都已说了。也许我只是渴望再一次地听到谈起它们。小小的再一次。然而，不，我什么都不想。

路易一家。路易一家生活得很难，我是说

他们很难做到收支平衡。家里有男人、女人和两个孩子，一个男孩和一个女孩。这样至少不允许有什么争论。人们把这家的父亲叫胖路易，而胖路易也确实够胖的。他早已结婚多次，直至最后跟一个年轻的表妹建立了眼下这个家庭。在别处，他还有其他的孩子，男的女的好赖都耸肩缩脖地活着，既不希望自己发财，也不指望别人来帮助。凭着一时的高兴，他们也会尽各自的能力，前来帮他一把，以此报答他的生养之恩，没有他，他们是见不到天日的。或者，他们自称这样做是以德报怨。假如不是他干的好事，终归有别人干的。胖路易一颗牙齿都没有了，抽烟时用一个烟嘴，总是为他丢失的烟斗遗憾不已。早年他是远近一带有名的宰猪放血的能人，时常非常忙，或者说相当忙，有很多人来请他宰猪，因为他收钱比屠夫远远低得多，他往往只满足于一个极低的报酬，比如只要一个肘子，或者一点点的猪头肉冻。这一切都是充分可信的。因为他喜欢这份工作，很自豪能充分胜任它，像个艺术家那样，掌握着由他父亲传授的技艺诀窍，并自称是这门手艺的末代传人。他常常满怀柔情和敬意地谈起他的父亲。有朝一日我走后，他说道，人们就再也见不到跟他一样的人啦。他本应该换一种方式说这个。路易的忙碌日子是十二月和一月，而从二月份开始，他就又迫不及待地等候着忙季的重归，而这个季节的主要事件毋庸置疑地就是庆贺救世主诞生在一个厩栏中，人们暗自问着，他是否能一直来到这地方。那时候，他出发上路，腋下夹着的小箱子里放着各种尖刀，前天夜里，他在炉火旁把刀子磨得飞快，而放在衣兜里包在纸包里的是他的围裙，工作时用来保护他星期天和节假日才穿的漂亮衣服。一想到他——胖路易——正赶着上路走向偏远的农庄，而那里的人们正等着他，一想到人们依旧需要他，尽管他上了年纪，却仍能做年轻人不能做的事，他那颗老骥伏枥的心便在胸腔中搏跳不已。在这一趟趟的远征之后，他深夜才回到家中，被长途跋涉和洋洋自得折腾得精疲力竭，醉意蒙眬。他整天整天地只谈着他打发走的猪儿，假如我不知道猪儿们只有这个世界，我也许会说打发到另一个世界去了。正是这一点让他的家人感到深深的担忧。不过，他们不敢对他说什么，因为他们都怕他。对了，到了绝大多数人都抽抽的年龄——好像他们抽抽地变小只是为了请别人原谅他们还活在世上——路易随心所欲的行为举止却让人害怕。甚至他年轻的妻子都不敢依仗着自己长着阴门这一年轻女郎们的王牌而负隅顽抗，都不得不甘拜下风，因为她知道假如自己拒绝向他开启阴门会招致他的什么行为。他甚至强求她，常常以显得过火的手段让她帮着搭一把手减轻他工作的难度，只要见到她有一丝一毫的反抗迹象，他就跑到洗衣池边抄起捣衣杵死命地揍她，直至她求饶悔过。这些个都是附带的活儿罢了。还是言归正传，谈谈猪儿们。到晚上，路易就在蜡烛光下滔滔不绝地跟家里人讲他最近宰杀的那一口猪，天天如此，不知厌倦，直到有一天有人请他去杀下一口猪。每当此时，他的话题完全彻底地拴在了那最后一口猪身上，它从任何意义上说都与别的猪大不一样，如此地不一样，然而，从本质上说，却是同一回事。因为当人们熟悉了猪猡时，所有的猪猡全都一样，它们以相同的方式挣扎着，嘶叫着，流着血，嘶叫着，挣扎着，呻吟着，慢慢地昏死过去。这种垂死挣扎的方式只属于猪们自己，而一头绵羊羔，或者比方说，一头小山羊，是不会这般行事的，但是，从三月份开始，胖路易就开始清静了，重新变得沉默寡言。而从十一月底起，他的一家便很不耐烦地等待着季节到来，好施撒厩肥，播种菜豆。

儿子，或者说直系继承人，是个高高的小伙子，长着一口狰狞可怖的牙齿。他叫爱德蒙。

农庄。路易家的农庄位于一个谷地上，冬

天遭水淹，夏季挨太阳烤。穿过一个美丽的牧场就到了他家的农庄。但这个美丽的牧场不是路易家的，它属于住在很远处的另一家农户。到了适当的季节，长寿花和水仙花竞相开放，一派绚丽灿烂。天将黄昏时，路易一脸阴沉地赶着羊群在那里走过。

怪事一桩。如果说路易是宰猪的一把好手，那他却没半点本事养猪，他家饲养的猪很少能喂到六十公斤重的。猪崽从四月份一到这儿便被关进狭小的棚圈里，一直待到它的死期，圣诞节的前几天。因为路易顽固不化地担心运动会让猪掉膘，尽管年复一年的实践早就戳穿了这一歪理。他同样还担心强烈的阳光与猛烈的大风有损于猪的发育。到了最后那一天，他按倒在屠宰台上的是一只虚弱的、瘦削的、瞎子一般的猪，它肚皮朝天，四个蹄子紧缚着，路易大声地骂它忘恩负义养不胖，然后不慌不忙地、干净利索地宰了它。他不能够或者说不愿意明白错误不在猪，而在他自己身上，是他把猪养娇了。他死不认错，坚持到底。

死寂的世界，没有水，没有空气。你的回忆，就是这个。越来越远，马戏场中央，枯萎的地苔的阴影。三百小时的夜晚。微弱苍白的、带有麻点的光亮更为珍贵，不那么高傲自大的光亮。瞧,那便是它的流溢。它能持续多久?五分钟?十分钟?对了,不会再多的,很少会再多的。然而我的天空之网仍然亮着光。以前我计算过,我一直计数到三百、四百,还和别的东西计在一起,骤雨,钟声,清晨叽叽喳喳的麻雀叫,我数过,为了数数,或者什么都不为,然后我用六十去除。这样时间就打发过去,我就成了时间,我吞吃了宇宙。再没有现在。人们变化着。渐渐衰老。

在脏乱不堪的厨房里,夯实的土地面上,靠近窗户的地方,萨波有着他的位子。胖路易和他儿子结束了工作,来向他握手告别,然后出门走了,留下他一个人跟母亲、女儿待在一起。但她们也有事情要做,她们也离开了他。有那么多的事情要做,却只有那么一点点的时间,那么少的人手。妇人在两次匆忙的奔跑之间,或者在一次奔跑之中停下来一会儿,将两臂伸向天空,随即放松开来,任沉沉的重量把它们压倒,重重地坠落下来。随后,她让两臂在身子的左右两边做着很难用语言描述出来、其含义也不太清楚的运动。她将两臂远离着两肋摆动,我是说挥舞,因为我实在不知道怎么从你们精美的语言中找出更妙的词来形容。这动作近乎奇特,有一副怒气冲冲的样子,又好像关节脱了臼，胳膊舞动着抹布，或是破布团，在窗户上飘来飘去，往下赶落着灰尘。空空的、柔软的双手快速地抖动着，抖得那么快，看上去好像每条胳膊上长出了四五只手。同时，她的嘴里还嘟嘟囔囔地问个不停，充满怒气的问题不待回答地一个接一个地从嘴里迸出来，问的都是些，说这个有什么用？她的头发披散开来，散得满脸丝丝条条的。她灰色的头发又浓又密，肮脏得很，因为她没有时间去伺候它们；她的脸瘦削而苍白，仿佛被岁月的忧愁和苦涩刻上了条条纹路。胸脯——不，对她来说更为重要的应该是脑袋，她首先召唤的应该是双臂，她的双臂交叉起来，指东画西，然后又无可奈何地投入工作，将死气沉沉的旧物件抬起来，再把它们挪个地方，把它们摆得互相更靠近点，或者更远离点。不过，这种哑剧动作和这些精力发泄并不是出于任何活人的意志。因为每天，甚至一天好几次，这些个事儿拴住了她，在家里在田里都一样。于是，她也就不那么费心地想知道她是一个人还是有别人和她在一起，她正在干的事情是紧迫不可延误的还是可以等以后再干的。然而，她甩开了一切，肆无忌惮地叫喊着，舞动着，似乎一个人在这世上，对周围发生的一切熟视无睹，麻木不仁。然后，她突然闭上嘴巴，一动不动地待了一会儿，接着，又干起了刚才撂下的活儿，或是赶紧跑去干另一件活儿。萨泼独自留在窗户边上，一碗羊奶放在他面前的桌子上，被忘掉了。那时是夏季。尽管门和窗户都向着光亮的乡野敞开着，屋子里仍然显得有些阴暗。光线通过狭窄的、各自相离得很远的门和窗洞流进来，照亮了一小块空间，然后来不及铺开就匆匆消亡。这并不是一件确信无疑的事，并不是说白天持续多久，光线就有多久的。在房间里的任何角落，白天是不存在的，不像它在外面那样无处不在，宁静地持久地存在于苍天与大地之间，然而，它不断地闯进来，被锯割成小块，周而复始地更新着面貌，它不断地闯进来，在里面死去，渐渐地被阴影吞噬掉。只要小方块稍稍变得微弱些，房间就越来越显得阴暗，一直到最后什么都看不清楚为止。因为，阴影获得了胜利。萨泼朝着光彩夺目的田野转过身去，眼睛被刺得生痛，然而他的背后，他的两侧则笼罩着一片战无不胜的阴影，它爬上了他那被光照亮的脸膛的四周。有那么几次，他猛地把脸转过来朝向阴影，他沐浴着黑暗，展现在黑暗中，带着一种轻松洒脱的心境。于是，他更加清楚地听到干活儿的声音，姑娘跟在山羊后面叫唤，父亲正在痛骂他的骡子。但在阴影的深处，是沉寂，是永远不再动弹的灰尘和物什的沉寂,只要这沉寂仅仅取决于这些东西,那就有永远的沉寂。他看不到的闹钟正发出滴答滴答的声音,这滴答滴答仿佛就是沉寂之声。这沉寂之声和阴影一样,终将获得胜利。那么,一切都是寂静无声,黑暗无光,物什总是处在自己的位置上。终于,萨泼从衣袋里掏出一些小礼品,把它们放在桌子上,然后离去。不过,有时候,在他决定要离开之前,在他早早地离开之前,因为没有所谓的决定不决定,会有一只母鸡趁着房门大开之际跑进来闯荡一番。刚刚迈过门槛,它就停下步子,抬起一只爪子,脑袋倒向一侧,眨巴着眼睛,警惕地戒备着。然后,稍稍定了定心,它便一颠一颠地向前探出它那手风琴般可伸可缩的脖颈。这是一只灰色的母鸡,也许总是这一只。萨泼最后终于认出它来了,同时,他仿佛感到自己也被认出来了。假如他要起身出门,它是不会惊慌不安的。不过,也可能有许多鸡全都是灰色的,而且又长得那么相像,而萨泼的眼睛却是那么渴望着相似性,不能够一一分辨它们。有时候,它身后还跟着第二只,第三只,甚至跟着第四只,长得和它大不一样,而且它们之间也相当不一样,羽毛的色彩和轮廓的曲线都不一样。那些鸡比起灰母鸡来则显得不那么胆小怕人,有灰母鸡走在前头，结果什么事儿也没有。走到门口时，它们在瞬间里被照得闪闪发亮，随着它们步步挺进，它们也就越来越变得模模糊糊，随后，消失在黑暗之中。一开始，它们担心着被出卖，小心翼翼地一声不吭，随后就慢慢地开始扒土，高兴地咯咯叫，扑腾扑腾地抖扇着羽毛。不过，经常的情况是只来那只唯一的灰母鸡，或者，假如想说得确切一点，是灰母鸡中的一只，因为说到底，这是一件永远也弄不清楚的事情，尽管要弄得个水落石出也并非一件困难的事，只要稍微花点工夫就行。只需要在路易夫人喂鸡时站在一旁，看着所有的母鸡都从四面八方飞奔过来就可以了，路易夫人一边嘴里招呼着，咯咯咯咯！一边拿一把旧勺子敲着一只旧盆子，这时，就可以弄清楚究竟是只有一只灰母鸡还是有好几只灰母鸡。但是，话又说回来，这样做又有什么意义呢？因为，很可能就是有许多只灰母鸡，而经常来厨房的恰恰总是同一只鸡。然而，实践还是需要做一下的。因为，很可能就是只有一只灰母鸡，甚至在喂食时也只有一只灰母鸡。这样就能够得出结论。但是，这是一件永远也弄不清楚的事情。因为，在知道这事儿的人们中，有的已经死去了，另一些则把这事儿给忘了。到了萨泼真正想打破砂锅问到底的那天，一切都已经太晚了。那时，他开始后悔，后悔自己没能及时地把握时机，搞它个一清二楚，弄清楚事情的重要性，弄清楚有朝一日发生在路易家厨房中的这些场景或许会对他产生的重要意义，那时候，在路易家的厨房中，既不是完完全全在屋里，也不是完完全全在外边，他等待着重新站起来，重新迈开步子，在等待之中，他不带恶意地注意到许许多多的事情，其中包括这只焦虑不安的、浅灰色的胖禽鸟，在门槛边的光芒中犹犹豫豫，然后在炉灶后面咯咯咯咯地哼叫，拿爪子扒着土，抖动着它那已经萎缩的羽毛，家里的人会跑来吆喝吆喝地赶它走，拿扫帚把撵它，而它却又会再跑回来，迈着小心翼翼的步子，进两步退一步，走三步停一停，聆听着，睁开又闭上，闭上又睁开它那小小的、黑色的然而却闪闪发亮的眼睛。萨波走开了，他什么都没有猜疑到，还以为看到了一些尽可以令人放心的什么事。他弯下腰走出门槛，看到眼前的一口井，看到井台上的辘轳、铁索和水桶，他常常还能看到晾在绳子上的一长溜破破烂烂的衣服，在阳光下慢慢地晒干，在微风中轻轻摆荡。他沿着他曾经走来的那条小路走了，也就是说，在小溪旁一排大树的遮阴下，沿着牧场的边缘走了，小溪的水底布满了疙里疙瘩的老树根、大大小小的鹅卵石和坚硬的泥土。他常常就这样神不知鬼不觉地走远了，尽管他步履古怪，而且不时地歇脚停留，东闪一下西避一下。也许路易家的人或远或近地看到了他，也许他们有的远远地，有的近近地看到他从晾着的衣服后面闪现了一下，又拐入了小径，但他们毫不打算留住他，也不向他招呼一声再见，总之，是不愿打扰这一表面上看来不那么友善的出门，因为他们知道，这并非出于某种恶意。假如他们当时不能够抑制自己怨恨他，那也是出于一种本能的情感，但是，当他们随之而后在厨房的桌子上看到一张揉皱了的纸，里面包着一些小小的缝纫用品时，这种情感也就烟消云散了。这些个如此实用的不起眼的小礼物，这种如此微妙的送礼方式，使他们解除了敌意，而且面对着只喝了一半或者根本就没有动过的那碗羊奶，他们怎么也无法像传统习惯的那样把他的来去看成一种带侮辱性的冒犯。不过，真要仔细地想想，那么萨波的离去似乎很少会逃脱他们的注意。因为，在他们家土地周围的任何一个细小的响动，哪怕是一只小鸟的停落与飞翔，都会让他们睁圆了眼睛，竖尖了耳朵。甚至在大路上，一公里之外的树干都能看得一清二楚，路上发生的一切都逃不过他们的眼睛，他们不仅能认出远远地在路上走着的、个头看起来就像别针头那么小的行人，而且还能猜测出他们从什么地方来，要到什么地方去，甚至猜出他们要去干什么。于是，他们会互相叫喊传送着新闻，因为他们常常分散着干活，彼此相隔得很远，要不然，他们就互相发出信号，大家伙儿都抬起头来，转向这一事件的人与物，说实在的，这还真算是一个事件。然后他们重新弯下腰，将脸冲向养育他们的土地。等到下一次休息，他们聚集一处时，不管是在桌子边，还是在别的什么地方，每个人都会讲述自己所以为的事情的原样，讲他自己认识这事儿的方式，同时也听别的人讲他们的想法。假如乍一开始对所见所闻以及它们的意义不能达成一致意见，他们就会严肃地互相争论一番，一直到最后达成一致意见，我是说，要不大家都同意一种意见，要不就什么也不同意，而且一劳永逸。对萨泼来说，他实在很难做到神不知鬼不觉地溜之大吉，即便是在沿着小溪的树荫之下；我们很难假设他能够悄无踪影地溜走，因为他的一脸表情仿佛是在偷越国境。所有人都抬起脑袋，盯着他看，看他怎么走路，然后，他们又互相瞟一眼，然后，又重新埋头盯着土地。在每一张冲向黄土地的脸上，或许正掠过一丝说不上是真正的微笑的微笑，说它是微笑，还不如说它是咧着嘴的强笑。不过，这一丝笑中不带什么恶意歹心，每个人或许正在问自己，别人是不是也发觉到了相同的东西，他们打定主意，下一次聚集在一起时一定要互相补充，弄得个一清二楚。至于萨泼，他正跟跟跄跄地离去，一会儿隐身在他说不上名字的百年老树的阴影下，一会儿出现在高高的牧场的阳光中，他的步履是那么不稳，这个萨泼，他的脸色永远是那么凝重、严肃，或者不如说，毫无表情。当他停下步子时，他并不是为了更好地考虑，或者为了更清楚地瞧瞧自己的梦幻，而仅仅是因为那个曾让他向前走的嗓音突然停住不响了。于是，他拿自己灰白色的眼睛一动不动地盯着地下看，既看不到它的美，也看不到它的实用，更看不到五彩缤纷的小野花正在农作物和野草丛中自由自在地开放着。但是，这些个停顿一般都是短时间的，因为他还年轻。瞧他，突然间他又重新在田野中游荡起来，从阴影中走出来，走进阳光，从阳光下又回到阴影中，一副无所谓的神态。

当我停下来时，就如同今天下午那样，各种声音便以一种奇异的力量响了起来，该是这些声音的时刻了。我似乎又重新找到了年轻时代的听觉。那时，在暴风雨的夜晚，我躺在床上，在一片漆黑之中，我知道怎样在外面的呼啸声中分辨出树叶的声音，树枝的声音，树干的声音，甚至还有小草的声音，以及我居住在其中的房屋的声音。每一棵树都有它自己的叫喊方式，就如同在风平水止的天气里，它有自己的喃喃细语声一样。我远远地听到铁栅栏门在它的柱子上晃来晃去，一声声地击打在栅栏上，风儿正从那里呼呼地吹进来。一直到小径的沙土那里，才听不到风的呼啸。没有风吹草动的夜晚对我而言是另一种暴风雨，我十分高兴地去发现种种线索，寻找千千万万种气息的踪迹。是的，年轻时，我曾是那么兴高采烈地跟它们所谓的静谧之夜嬉戏。我最喜爱的声响没有丝毫华贵的迹象。夜晚，在山腰的一座座小山村中，我分辨出狗的吠叫，那是世世代代采石为生的工匠们的家。野性的、如笛一般的狗吠声一直传到我的耳中，传到平原上，传到我的房间里，传到我的耳中，微乎其微，三两声之后便安静下去，好像狗儿懒得再叫。山谷里的狗们也应声而吠，从一声声粗大的嗓音中可以想象出它们满嘴的獠牙，坚硬的颌骨，垂流的涎沫。从山上还另外传来一种快乐，那就是东一亮西一闪的缀满山冈的光亮，它们随黑幕的降临而出现，凑在一起形成小点，比天色稍稍亮一点点，比星星则稍稍暗一点点，只要有一点点月光出现，就会把它们抹得无影无踪；它们刚刚燃亮一会儿，就自己熄灭了。那是一些在万籁俱寂的夜晚才能勉强看清的微光，而且消逝得很快。眼下我的推理，我自由自在的推理正像那些微光一样转瞬即逝。那时光，我站在我那高高的窗户前，沉醉于夜景，等待着它消失，等待着我的欢乐消失，消失在我前方的远处，消失在我的心中。我趋向我那完结了的欢乐。不过，现在我要说的倒不是那些不值一提的琐事，而是我的耳朵，耳朵里长出了两簇狂躁的黄毛，因为依我想，它们可能是黄颜色的，因为沾染了蜡质，也因为不常清洗，它们长得那么长，甚至都盖住了耳垂。我毫不激动地观察到，自从一段时间以来，我的两耳似乎听得更清楚了一些。噢，我从来就不曾聋过，即便是部分聋也不曾有过。不过，很久以来，我总是模模糊糊地听不真切。现在它又模糊了，我想说的或许正是这个，世界上如此多种多样的声音，我曾如此善于——辨别的声音，渐渐地在我耳中变成了一种相同的声音，以至到了后来，这些声音都混合成了一种唯一的声音，它成了不是别的只是一种持续不断的响亮的嗡嗡声。清脆尖利的嗡嗡声似乎总是停留在同样的音量上，我只是失去了将它分解的能力。大自然的声音，人的声音，甚至我自己的声音，一切都混在一种可怕的混乱的嘈杂声中了。够了够了。假如说我如此不幸,不能从这一听觉的混乱中得到什么好运的话,我宁可把我的一部分,我的一部分厄运归咎于它了。厄运,好运,我根本就没有时间来选择使用什么词,我实在太匆忙了,匆忙地要结束。然而不,我不匆忙。总归,今天晚上我将不说一句假话,我是说,说到我真实的意图时,愿我的每一句话都不至于令我难堪。因为今天晚上,甚至今天夜里,是我能回忆起来的最最黑暗的一个。我的记忆力不怎么好使了。我的小拇指平躺在纸张上,始终挺进在我的铅笔的右方,每触到纸页的右端,它就警告我另起一行。但在另一个平面上,从上到下,我就大致地估计着。我本不愿意写,但我最终不得不屈服。那是为了知道我自己到了什么程度,他到了什么程度。一开始,我不写,我只是说。随后,我就忘记了我曾说过的东西。为了真正地活着,一份起码的回忆录是必要的。比如说,他的家庭,说真的,我已经对它一无所知了。不过,我仍然心平气和,它已经记载在某处了。这是审视它的唯一办法。但是当问题涉及我自己时,同样的需要就感觉不到了。我自己的故事,我也不知道了,我忘记了,但是我不需要了解它。而同时,我写着我自己,用的是跟写它们的时候所用的同一支铅笔,同一本笔记簿。就是说，这已不再是我了，我可能早已说过这一点，而是另一个生命刚刚开始的人。当然啦，他也有他的简历，他的回忆，他的推理，他能够在恶中重新找到善，在大恶中找到小恶，并由此在千篇一律的日复一日中慢慢地衰老，最终有一天，像其他人一样死去，只不过这一过程比较短而已。这就是我的辩词。不过，也可能还有另一些，而且并不比以上那些差多少。是的，黑暗是漆黑的一团。我什么都看不见。甚至连窗玻璃，我也只能勉强看到，还有那堵和窗子一起构成如此鲜明对照的墙，墙在那里为窗玻璃让出了位置，那个地方看起来常常像是一个深渊的洞口。但是我能听到我的小拇指在纸上滑动的声音，能听到跟着小拇指向前推进的铅笔如此不同的声音，正是这个让我吃惊，并促使我说，有什么东西已经变了。其中包括这一个孩子，他可能就是我自己，为什么不呢！而且我还听到——我们终于到了这一步——一个合唱队，然而这合唱队实在离得太远，它的钢琴声都传不到我的耳膜。我熟悉这段演唱，但我不知道它取自哪一首歌，当歌声逐渐变弱时，当它慢慢消失时，它仍然在我的心中回荡着，只不过响得更慢，或者更快。因为当空气重新将这段歌曲传到我的耳边时，它总是与我心中的歌合不上拍，不是唱过了头,就是还没唱到这一节。假如我没有弄错的话,这是一个男女混声合唱队。或许还有童声。我有一种荒诞的感觉,认为是一个女人在指挥。这同一首歌他们已经唱了很长一段时间了。他们想必是在排练。这已经过去了,他们最后一次迸发出乐曲结尾的胜利欢呼声。现在会是复活节前的那个星期吗?像复活节那天那样装作好汉①。假如这假设是肯定的,那么这一首我刚刚听到的歌,这一首还未在我的心中完完全全停息下来的歌,不是明白无疑地献给那一个最早在死者中复活的人,那一个提前二十个世纪拯救了我的人吗?第一个?最终大叫大喊的高唱声令人猜到这一点。

我想我仍然熟睡着。我再怎么瞎摸都没有,我再也找不着我的记事本了。不过我手中始终握着铅笔。我必须等到黎明。上帝知道在这段时间里我将干些什么。

我刚刚写下,我想我仍然熟睡着,等等。我希望我还不至于太歪曲我的思想。现在我加上这几行字,然后我再次离开我自己。我不再

---

① 这是一句法国谚语,意为:打扮得漂漂亮亮,好像要过节一样。

怀着相同的贪婪之心离开我自己，比方说和八天之前那样。想来时间已经过了不止八天了，八天多以前，我说：然而我很快就要完全彻底地死去了。不过，请注意。我说的不是这个，我可以把手伸到火中①。我写的是这个。这最后的两句话，我突然感到已经在不知什么地方一字不差地写过，或者已经说过。对了，然而我很快就要，等等等等，这就是当初我意识到我再也记不清我曾说过的话时写下的句子，在我叙述的一开头，然后，是我的计划，活着，并让人也活着，最后，是最后地玩，是轻松愉快地死去，同时走上完成我别的计划的道路。我想，黎明的来临不像我曾担心的需要等待那么长时间。我真诚地相信这一点。可是我什么都没有担心过，我早已不担心什么了。这真是美好季节的开端。我转身朝着窗玻璃，终于看见它簌簌地颤抖，在青灰色的晨曦面前变得苍白如土。这不是一块普普通通的窗玻璃，它给我带来黎明，它给我带来夕阳。记事本已经掉在地下。我花了好多时间才找到它。它掉在了床底下。如此这般的事情怎么会是可能的呢？我花了好多时间把它重新抓到手中。想必我刺中了它。它虽然还没有被戳得满身是洞，但也

---

① 这是法语中的一种常用说法，意思是：我敢起誓。

已经面目全非了。这是一册厚厚的本子。它一定够我使用了。从今以后我要把每一页的正反两面都用上。它是怎么到我手上的呢？我不知道。那天，当我需要一个本子时，我就是这样在我的那堆东西里发现了它的。当时，我心中明白自己没有记事本，但还是在衣物堆里翻寻一番希望能找出一本来。我没有失望，我没有吃惊。明天，我也许会需要一封很久以前的情书，我不会不像这样去找的。这是方格纸的本子。最开始的几页标明着页码数字，饰有符号和图形，东一处西一处还印有一个短句。这可能是计算用的纸，翻过几页，这种纸突然间就没了，从表面上看是过早地没了。好像失去了继续存在的勇气。也许这是星相学或是天文学的本子。我没有仔细瞧。我画了一条线，不，我甚至没有画一条线，我写：我很快就要完全彻底地死去了。我没有写到下一页空白的纸上。等到列财产清单的时候，我可以免于继续拴在这个本子上了。我只须说，如上所述，一个记事本，也许提一下它的颜色。但是，从现在起到那个时候，我很可能会把它给丢了，真的会丢的。我的铅笔，正相反，是我的老朋友了。当我被带到这里来时，它就在我的身上了。它有五个棱面。它很短，两头都削尖了。这是一杆金星牌铅笔。我希望它能一直用得顺手。我说过我再也不会怀着同一种热心离开我自己。这一定是在事物的必然规律之中的，我所遇上的一切都必然写入规律之中，甚至连我自己对这究竟是哪一条规律都一无所知，这一无能为力的现象都在规律之中。因为我从来没看到过什么规律，在我的内心也好，在我之外的外界也好，都没有。我信赖表面现象，尽管我相信它们都是虚幻的。我将不会深入细节中去。喘息，顺流而下，溯流而上，喘息，假设，否定，肯定，再否定。好了。我更不情愿离开自己了。但愿如此。我总等待着黎明。同时做了些什么，我不知道。做我应该做的事呗，我窥伺着窗玻璃。我任自己的痛苦，任自己的残废缓缓逝去。最后，有那么一瞬间，我仿佛感到我将接受一次拜访！

　　暑假已近尾声。决定性的时刻即将来临，萨波撒布在自己心中的希望之火要么被点燃，要么被扑灭。他已经做了充分准备，萨波斯卡先生道。而他的妻子则为他的成功祈祷，她的虔诚在危机时期不断加温。晚上，她身穿睡衣跪在地上不住地念叨，她怕她丈夫会说她，便不出声地念叨，但愿他考上！但愿他考上！即便没有评语也行！

　　这第一次的重大考试度过以后，还将有别

的考试,每年都有,一年好几次,连续五到六年。但在萨泼斯卡一家人看来,这些比起第一次来都显得不那么可怕了。只有这一次考试才能赋予他们或者剥夺他们那一种权力,去说,他将学医学,或者,他将学法律。因为他们认为,一个即便算不上太聪明,倒也可算是正常的青年人,一旦开始从事这些职业,或早或晚他就会胜任的,很少有不被承认胜任这些职业的例子。因为他们也和几乎所有的人一样要和医生打交道,要和律师打交道。

有一天,萨泼斯卡先生被低价卖了一支钢笔。一支黑鸟牌。考试那天我要把它给他,他说。他掀起长长的硬纸板做的盒盖,把钢笔递给他妻子看。让它留在盒子里吧,他说,因为她想把笔抓到手心里。它安卧在说明书上,说明书的纸边已经翘了起来,两头都快在上面碰到一起了。萨泼斯卡先生将纸边分开压平,把笔盒凑到他妻子眼前。但是,她不去看钢笔,反而看着她丈夫。他说了价钱。也许你,她说道,头一天晚上就给他更好些,这样他可以熟悉熟悉。你说得有理,他说,我怎么没有想到呢。要不,再提前一天吧,她说,这样,假如钢笔不顺他的手,你也许还有时间来得及换货。盖上画着一只乌鸦,它那大张着的喙是黄色的,这表示着它正在唱歌。萨泼斯卡先生重新盖上盖，一双手内行地把盒子用丝光线包裹好，再在外面扎上一道橡皮筋。他不太高兴。这是一支中档的笔，他说，肯定会适合他用的。

第二天，这一番对话又重新继续。萨泼斯卡先生说：假如我们只把它借给他呢？我们对他说，假如他被录取了，这笔就归他了。那样的话，就应该马上给他，萨泼斯卡太太说，不然，这就没有什么用了。沉默了一会儿之后，萨泼斯卡先生对此提出了第一次异议，然后，又经过了第二次沉默，第二次异议。他首先说，假如他儿子马上就接受钢笔，那么，还没等到他写字，他就会把它弄断了，或者把它弄丢了。他然后说，假如他马上就接受钢笔，就算他既没有把它弄断也没有把它弄丢了，他也会把自己的笔和他那些家境更富裕的同学们的钢笔作比较，这样，他就会有足够的时间熟悉它的性能，了解它的缺点，这样，有朝一日可能归于他自己的钢笔恐怕再也不会让他望眼欲穿了。我本不知道这是一件次品，萨泼斯卡太太说。萨泼斯卡先生把手放在桌布上，长时间地盯着她看。然后，他把餐巾叠好，站起身，离开了房间。可是，你吃完了再走啊！他的妻子喊道。她孤单一人，听着他在园中小径里的脚步声，渐渐远去，又渐渐靠近，再渐渐远去，再渐渐靠近。

有一天，萨泼来路易家比平时稍晚了一会。但是，谁知道他平时是几点钟到的呢？阴影延长了一些，迅速地失掉了它们的立体感。还在老远的地方，萨泼就惊奇地发现，在新换的屋茅之中，晃动着路易老爹那红白相杂的胖脑袋。他的身子处在他正挖着的一个大洞中，他给昨夜刚刚死掉的骡子挖坑。爱德蒙擦擦嘴巴从屋里出来，去接替他的父亲。于是，父亲从洞里爬出来，儿子跳到洞里。走到他们身旁时，萨泼看到了骡子的尸体，黑黑的。于是一切对他变得清楚了。骡子倒身躺着，这是正常的姿势。两条前腿又僵又直，两条后腿则在肚子底下蜷缩成一团。它的嘴大张着，嘴唇翻卷着，露出巨大的牙齿，一对眼睛圆睁着，像是要从眼眶中挣脱出来，这一切使它显出一副不凡的神态。爱德蒙把十字镐、铁锹、铁铲一一递给父亲，然后跳出洞坑。他们一人拉着骡子的前腿，另一人拉着后腿，把它拖到洞边，然后让它四脚朝天地掉进去，两条前腿正好直冲冲地指向天空，稍稍超过了洞的高度。路易老爹绰起铁锹打了几下，让它们蜷曲了起来。他把铁锹递给儿子，自己就向屋里走去。爱德蒙往洞里填起土来。萨泼瞧着他干活。一片巨大的安静笼罩了他的心，巨大的安静，这么说太过分了。这将会更好。一条性命的结束,这真叫人来劲。爱德蒙停下来,拄着铁锹,喘了口气,笑了一笑。在他的门牙之间,有一个个粉红色的大洞。胖路易靠着窗户坐着,从那里他可以监看他的儿子。他吸着一支香烟,用的是自己的烟嘴,同时喝着白葡萄酒。萨泼坐在他的对面,一条胳膊支在桌子上,手托着脑门,一副旁若无人的神态。他伸出另一只手,一动不动地搁在两人之间。路易开口说起话来。他的神色显得很和蔼。骡子,照他的看法,是死于衰老。两年之前,他买下它的那一天,人们正带着它上屠宰场。他正好带有买下它的一笔钱。买卖讲定后,别人好心地告诉他那骡子再要下地套耕的话,就会倒下毙命的。可是胖路易是个相骡子的行家,看骡子得先看眼睛,别的都不太要紧。于是他站在屠宰场的大门口直盯盯地瞧着骡子的眼睛,他看出来,那畜生命还大着呢。那骡子也在屠宰场的院子里回敬了他一眼。随着路易的叙述越来越靠后,屠宰场的重要性也越来越显示出来。就这样,交易的地点逐渐地移动着,从屠宰场外的路上到屠宰场的门前,又从门前一直到院子里。再要拖上一会儿,他说不定一直会讨价还价到屠夫的跟前。它简直是在恳求我把它留下来,路易说道。它的身上到处都有伤疤,不过,看骡子时，我们绝不能为它们身上的老伤疤所迷惑。重要的是眼睛。别人告诉他，它已经走了十里路，到不了你家门口就会倒下的。我本指望它还能活六个月，路易说，我却养了它两年。他一边说着一边察看着他的儿子。他们都在那儿，面对面地待在黑暗中，一个讲着，一个听着，远远的，一个远离着他讲的，一个远离着他听的，一个远离着另一个。土堆正在慢慢地变小。在掠过地面的微弱的光线中，土堆反射出各种奇特的光，越来越远地在逐渐增大的阴影中闪闪发光，仿佛它是从内部照亮的。爱德蒙经常停下来，拄着铁锹休息，打量着四周。屠宰场，路易说，就是我买牲口的地方。他补充说，瞧瞧我的这个无赖。他走了出来，在儿子旁边干起活来。他们俩一块儿干了好长一段时间，互相一瞅都不瞅，然后儿子停下了铁锹，调转身子，以一种平稳的圆润的动作，不紧不慢地离去，仿佛跟在他自己身后走似的，全部动作见不出一丝一毫从出力到休息的停顿过程。骡子已经看不到了。它毕生践踏不已的地面再也见不到它了，再也见不到它艰苦地拖着铧犁，拉着拖车。不久，胖路易很快就会在屠宰场，也就是人们称之为牲畜肢解场的地方买到另一头骡子，或者一匹老马，或者一头老牛，套着它在这同一块地上耕种，不让铧犁翻开腐臭的尸肉，不让它在昔日裹有肌肉的骨架上碰开缺口。因为他不是不知道，被埋葬在地下的尸体都有一种不屈不挠的重新崛起、趋向光明的倾向。在这一点上，他们很像是溺水的人。他在挖洞时就考虑到了，洞挖了差不多六尺左右深。爱德蒙和他的母亲擦肩而过。母亲正从邻居家借了一斤做晚饭用的小扁豆回来。她正满脑子想着刚才用来称豆子的那杆漂亮的杆秤，不时地自问它是不是准确无误。走到丈夫面前时，她也仍然步履匆匆，连瞧都没瞧他一眼，而在他的神色中，也没有任何迹象表明他已看到了她。她在壁炉上点亮那盏放在闹钟边上的灯，闹钟正好搁在挂在钉子上的耶稣受难十字架的一边。这三件东西彼此紧靠着，位于光溜溜的小桌台的中央。闹钟是它们三个之中最矮的，应该摆在最中间，在灯和十字架之间安插着一颗钉子，它维持着十字架的挺立。她待在那儿，额头和两手靠在墙上，等着一会儿再捻高灯芯。最后，她捻了灯芯，重新罩上黄色的圆球罩，罩上有一道宽大的缺口，很不好看。她抬头看到了萨波，竟一时以为见到了自己的女儿。然后她的思想飞到了失去了的女儿身上。她把灯放到桌子上，屋外的景色就会抹得一干二净。她坐下来，把豆子倒在桌子上，开始拣豆子，一会儿工夫，桌子上的豆子就成了两堆,大的一堆正在渐渐变小,小的一堆却在慢慢增高,但是,她突然狠狠地一撸又把两堆豆子撸混到一块,就这样,用不了一秒钟的工夫,便摧毁了刚才两三分钟工作的成果。然后,她去找了一个带柄的平底锅来。它们不会死的,她说,她用手胡撸豆子到桌边,然后把它们胡撸到锅里,就好像最基本的问题是不要死去。但是她是那么的笨手笨脚,内心又是那么火急火燎,结果把拨进锅里的相当一部分豆子撒在地上了。然后,她拿起灯走了出去,也许是去找木柴,或者是一块腊肉。黑暗又重新回到了厨房,屋外的黑暗好像慢慢变得柔和了,萨波的两眼盯着窗玻璃,最后终于辨清了相当一部分东西,其中包括正踩着脚的胖路易那黑乎乎的身影。他们一定是把这枯燥乏味、很难说有没有用处的工作中途停了下来,萨波设想得很对,因为有许多工作都属于这一类情况,无论人们说过什么,只有把它们放弃了才能结束。路易太太可能还会继续拣豆子,一直拣到天亮,但是她的目的,把好豆子坏豆子分得清清楚楚,没有一点点混杂,这个目的是不会达到的。不过,她最终会停下来,自言自语道:我已干了力所能及的事。但是,她兴许不会干她的能力兴许能及的事。但是,人们出于明智而放弃的时刻来到了,出于明智而不丧失勇气地毁了一切。但是，假如她拣豆子的目的并不是拣出所有不是豆子的东西，而只是拣出最大的豆子呢？什么什么？我不知道。当事情涉及另外的活儿，另外的日子时，人们可以大致有把握地说，完了。尽管我没看到是什么活儿。她走了回来，手提着油灯，离着身子有一段距离，以便不被灯光晃了眼睛。她的另一只手提着一只白兔，她提着白兔的后腿。因为假如说骡子是黑色的，兔子就是白色的。它已经死了，它已经不在这个世界上。有一些兔子不等人去杀它们就已经死了，一吓就吓死了。它们有足够的时间去死，从人们提溜着耳朵，因为人们提兔子常常是提耳朵，把它们从笼子里拖出来，到人们轻松地选定动刀子的地方，或者是脖子上，或者是胸口上。人们经常是在不知不觉地杀死一具尸体。他们刚刚还看到兔子欢蹦乱跳地在栅栏棚后的青草堆里奔跑。人们相互庆贺着一刀便获成功，因为人们不喜欢让动物无谓地多受痛苦，而实际上，他们是装模作样地白费了力气。这种事情尤其发生在黑夜，在黑夜里，恐惧往往来得比白天更大。母鸡们的生命力倒反而更旺盛一些，人们经常看到砍断了脑袋的鸡还在地上扑腾扑腾地跳着舞，一直到最终倒下。鸽子也是，它们不那么神经质，有时候能在咽气倒地之前挣扎好一阵子。路易太太喘了一口气。肮脏的畜生！她叫喊道,但是,萨泼已经走远了,他将手耷拉在牧场上摇荡不已的高高的草上,一路走一路撩。过了一会儿,路易,紧接着是他的儿子,闻到了饭菜的香味,走进了厨房。他们面对面地坐在饭桌前,谁也不瞧谁一眼,他们等待着。可是那个妻子,那个母亲,却走到了门口叫着她的女儿。莉丝！她使尽全力地喊道,连连喊了好几声。随后,她又转回到了灶前。她刚刚看到了月亮。一阵沉默之后,路易恶狠狠地喝道:明天我要杀了姬塞特。自然,他说这话用的是另一些词,但就是这个意思,没别的。但是他的妻子和儿子都不同意他,他妻子更愿意要努瓦罗的命,而他儿子则认为杀小羊羔纯粹是杀鸡取卵的做法,不管是杀这个,还是杀那个,对他都一样。但是胖路易叫他们都闭上嘴巴,自己走到一个角落找出他装刀子的盒子,刀子有三把,只需要把涂在上面的油脂擦掉,然后将它们互相蹭刮几下就行。路易太太转到门口,听了听,又叫了起来。远处的羊群回答了她的叫唤。她来了,她说。但她却又过了好长时间才进来。爱德蒙吃完了饭已经赶紧去睡了,他只想在跟他同住一个房间的妹妹回来之前能安安静静地手淫一番,这并不是说,他妹妹在场时,他会感到别扭。她也不会因为她哥哥的在场而感到别扭。大家住得太挤，某些个讲究就不能了，某些个挑剔也不必要了。于是，爱德蒙二话不说就离开了厨房。他本来是很愿意和他妹妹睡觉的，当父亲的也是，我是说，当父亲的也很愿意和他的女儿睡觉，他想和自己的姐妹睡觉的时代早就是遥远的过去了。但是，某些东西抑止了他们。再者说，她似乎并不打算这样做。但是，她还太年轻。于是，乱伦就成了无稽之谈。路易太太，这个家庭中唯一一个再也不想和任何人睡觉的人，怀着无所谓的心境看着它的到来。她走了出去。胖路易单独和女儿待在一起，他注视着她。她坐在炉灶前，一副疲惫无力的神态。他对她说，吃吧，她就吃起剩下的兔肉来，还拿一个汤勺从锅里舀豆子吃。但是，要持久地看着如此的一幕实在是太困难了，即使满心想这样也不行。胖路易突然看到他的女儿在另一个位子上，干着另一件事，而不再是拿着汤勺从锅里舀豆子送到嘴里，再从嘴里到锅里。然而，他满可以发誓他的眼睛一眨都没眨地盯着她看。他说：明天，我们把姬塞特杀了，你如果愿意，你来摁着她吧。但是，一看到她始终那么忧愁满怀，看到她脸上挂着晶莹的泪花，他就向她走去。

真没劲。要是我转到石头上来呢？不，这样做还是老样子。路易一家，路易一家，还是讲路易一家，不，不一定。可是，就在这当儿，另一个消失了。我的计划呢？它们到哪一步了？就在刚才，我还有计划呢。也许我还可以按计划再过十年。然而我想再继续一会儿，同时想着别的东西，我不愿意停留在这个地方。我远远地听到我自己，心不在焉，讲着路易一家人，讲着我自己，思绪飘荡，在遥远处，徘徊在它的废墟之中。

于是，厨房里只剩下路易太太一个人，她坐在靠窗户的地方，把灯芯捻小，像她每次要吹熄油灯时所做的那样，因为她不喜欢在灯盏还很热时就吹熄它。当她认定灯罩和圆玻璃冷却到一定程度时，她便站起身，朝里面吹一口气。她犹豫不决地待了一会儿，双手撑在桌上，然后又坐下。她的一天结束了，而在她的内心深处，新的一天随着另一些活计已露出了曙光，那是一些费力的、痛苦的劳作，是愚笨而顽强的生命的劳作。她坐着，觉得比躺在床上更能胜任这些来来往往出现在脑海中的琐事。在这无休无止的疲惫的深处，她不停地发着自己的愿，白日黑夜，黑夜白日，白日和黑夜，提心吊胆地发愿，召唤着这一丝光芒，家里人总是说她不会构思这些光芒，因为从本来意义上说她就不是一丝光芒。她所构想好的，出于习惯，是她时常在厨房里等待着光芒的重现，尤其是在夏天，日长夜短，睡不好觉，她直挺挺地坐在椅子上或是趴在桌子上，马马虎虎地休息一会儿，但即便是这样，也要比躺在床上睡强得多。她常常站起来，在屋子里踱来踱去。或者出门绕着破旧的老房子兜圈子。大约五六年前她还是这样的。我有一种女人的病，她自言自语道，但又不敢完全相信。在充满着日间劳累气息的厨房里，黑夜对于她似乎显得不那么黑暗，白昼似乎不那么死气沉沉。在那些困难的时候，在那些她真正需要鼓足勇气的时候，她喜欢使劲地用手指头压着桌子，在这张陈旧的桌子旁边，只要再过一会儿，她将看到家里人一个个坐下来，等着她给他们端菜上汤，她喜欢感到日常生活的用具和器皿井然有序地摆放在她的手边，随时都能信手拿来。她走到门口，推开门，望着外边。月亮已经消失，然而星星仍在发出耀眼的光芒。她久久地望着它们。这是一幅不止一次地让她感到周身轻松的场景。她走到井口，握住链索。水桶待在井底，辘轳纹丝不动。就是这样。她的手指开始一节一节地摸着链条的环。奇形怪状的问题一个接一个地融为一体，在她的脑海里软软地破碎消失。某些个问题仿佛与她的女儿有关系，然而，女儿的事她却最不担心。女儿这会儿也睡不着觉，偷偷地竖起耳朵探听她的动静已经有好一阵子了。当她知道母亲正在熬夜时，她差点儿起身跑来找她。但是，她只是打算第二天或者第三天才来对母亲说萨泼曾对她自己说过的事，弄清楚他是真的走了。那时，他们将像对待无足轻重的死者一样，将他曾经可能给他们留下的回忆汇集起来，互相帮助着，共同努力地达成一致。但是，人们熟悉这一束小小的火焰，熟悉它在黑暗中局促不安的跳跃。一致的看法将姗姗来迟，而且将伴随着遗忘。

没劲死了。有一天，我就意动问题接受了一个犹太人的建议。这应该发生在我仍然寻求着某一个对我忠诚，我也对他忠诚的人的时候。那时候，我把眼睛睁得大大的，以便让候选人欣赏我目光的深邃，以及一切尽在不言中转达的思维的折光。我们的两张脸凑得那么的近，连他吐出的热气和口臭我都感到冲在我的脸上，我想，我吐出的热气和口臭也一定冲到了他的脸上。最后，我看到他冷静地擦了擦眼睛和嘴巴，而我，则低下了眼睛，悲伤地看着顺着我裤子滴滴答答地落下来的尿在我脚边形成的一小摊黄汤。既然现在我已经不再需要了,我就说出他的名字吧。杰克逊。我本愿意他有一只猫,或者一条小狗,或者不如一条老狗,但是,作为哑巴伴侣的动物,他只有一只灰红相间毛色的鹦鹉,他教它说,心智中没有任何东西①,等等。最初这几个字的音鸟儿发得极准,但是到后来,那灵巧的舌头还是转不过来,人们只听到呱呱呱呱。当杰克逊恼怒起来,一个劲儿地让它重复时,波莉便会满脸通红地发火,退缩在笼子的一个角落里。这是一架十分漂亮的鸟笼,做工相当精细,栖架、荡架、食槽、池罐、排梯、乌贼骨,一切都安置得井然有序。笼子里的东西甚至多得过了头。要是我待在笼子里,一定会感到空间太狭窄。杰克逊把我叫做美利奴羊,我不知道为什么,也许是谚语的缘故②。而我,我倒是有一个正相反的想法。游动的羊群这样一个形象更适合于他而不是我。但是,实际上,我从来没有真正形成那样一种想法,这只不过是一句空话而

---

① 原文为拉丁文"Nihil in intellectu",出自托马斯·阿奎那《论真理》中的"Nihil est in intellectu quod non sit prius in sensu",意为"心智中没有任何东西,除非它先在感官中"。

② 法语有谚语"任美利奴羊撒尿",其意思为放任自流、等待时机。

已,一句顺口而出的没有分寸的话而已。我和杰克逊的关系只维持了很短一个时期。我本来可以把他当作一个朋友,但是十分不幸,我很讨厌他,我同样也讨厌约翰逊、威尔逊、尼科尔逊和沃逊,他们全都是猪猡。在以后的一段时间里,我试图从下等的种族中,从红皮肤、黄皮肤、巧克力色皮肤等人们中为自己寻觅一颗姐妹般的心灵。假如接近鼠疫病人不是那么不方便的话,我倒愿意混迹于他们之中,眼珠子转来转去,手足迟疑地舞动,咧开嘴傻笑,心急急无法开口说,情切切内中有所动,心儿怦怦地跳着。和痴呆的人们在一起,我也得不到好处。事情在过去应该是这样发生的,但我们倒要看看,它们现在是怎样发生的。年幼时,我惊诧而恐惧地看待老年人。而现在让我震惊的是哇哇大叫的婴儿。在大海上是那么的愉快①,尤其是对于下船的人。真没劲。我这个曾经相信拥有安排得如此有条有理的一切的人。假如我的肢体还有功能,我就可以从窗户翻出去。但是,也许正是因为残废了,我才会有这一想法,一切都支撑着自身,一切都支撑

---

① 原文为拉丁文"Suave mari magno",出自卢克莱修《物性论》中的"Suave, mari magno turbantibus aequora ventis",意为"在大海上,风浪翻滚时,是多么愉快"。

着你。可惜我不知道我是住在哪一层楼,也许我只是在夹层①。门的乒乓作响,楼梯上的脚步声和大街上传来的嘈杂声无益于我对这个问题做出回答。我只是知道,在我的头顶上和脚底下都存在着人们。那么我便不是在地下室里了。再说,我时不时地还能看到天空,同时,透过我的窗户,我看到有别的窗户竖立在我的面前。不过,这证明不了什么。我什么也不愿证明。人们是这么说的。也许,我是住在一个小小的地下室里,而那一片被我当作街景的空间只不过是另一些地下室所面临着的宽宽的通道而已。但是,怎么解释那些从下面传上来的声音?还有那一步步上楼向我走来的脚步声呢?也许,还有比我住的更加低的地下室吧。为什么没呢。在这种情况下,我究竟住在第几层这个问题便重新提出来了,假如地下室又分成好几层,一层更比一层深的话,就算我假定自己住在地下室也说明不了什么呀。但是,这些声响,这些脚步,我说听到它们向我传上来,是不是真的从下向上传来呢?事实上,没有任何证明能肯定这一点。这样,要得出结论,说这是纯粹的幻觉倒反而成了我自己迟疑

---

① 指位于底楼与二楼之间的夹层,房间一般都很矮,天花板很低。

不决地要迈出去的一步了。我确确实实认为这幢房子里住着许多人,他们来来往往,说说笑笑,他们中有许多漂亮的婴孩,尤其是一段时间以来,我认为他们的父母经常更换地方,不打算让小孩子养成一动不动的习惯,考虑到他们将有一天会需要自主自立地挪地方。但是,越是思索得细致,我就越不能将他们一一定位。想到最后,竟没有什么能证明,某一种脚步更像是在向上而不像是在向下走,或者,更不像是在同一水平上来来回回地走,而实际上既没向上也没向下,我是想说,对于一个既不知道自己处在什么地方,进而也不知道他应该在声响上真的预料什么东西,同时又有一半时间处于半聋状态的人来说,没有什么能说明问题。当然也有那么一种可能性,尽管它那么令人失望,但这种可能性毕竟还没有消失:即我已经死去,而一切差不多依然在照过去的样子继续着。也许我已在森林中断了气,甚至更早。在这种情况下,一段时间以来我所花费的一切努力究竟是为了什么目的连我自己也说不怎么清楚了,要不然就是为了一种不想花费更多时间的感情,所有这些努力绝对是白费了。但是,理智告知我目前我尚没有完全停止喘息。依着这样一种观察事物的方式,理智引导我做出各种有关的推测,比如说,看到我的衣物堆，我的饮食制度及排泄方法，窗对面的那对男女，天空的千变万化等等，我便有相应的思考。这一切实际上或许只是我脑中之诗。举个例子，就拿这陋室中的光线来说吧。它就很奇怪，这光线弱得几乎不能再弱了，真的是微弱之极。在我这儿还算有白天与黑夜之分，但这是一件听说的事情而已，这里常常是漆黑一团，不过跟我还未到这里之前已熟悉的习惯似乎并不总是同一种方式。例如——没有什么比举例子更能说明问题的了——一旦屋里变得漆黑一团，我就怀着一种轻度的急躁心情等待着黎明，因为我需要黎明的到来，好做一些我在黑暗中实在难以做到的事。随着光亮一点点地重现，我又可以用我的棍子钩我需要的物件。但是，这线光亮，原来不是清晨的曙光，而是傍晚的余晖。太阳并不像我期望的那样越来越高地上升到天空，而是正在渐渐地西沉下去，而夜晚，我刚刚以我自己的方法庆贺了其结束的夜晚，却正在无情地重新登场。现在，从某种意义上说，事情都倒了个个儿，我是说，白昼随着黎明的微光而结束，我不得不承认，我从未认识过它，它着实让我别扭，我是说，我无法说服自己肯定我也认识到了这一点。然而，我经常从一大早开始就竭尽我微薄的全力召唤着黑夜的到来，就像我经常从傍晚起就召唤着白昼那样。但是，在离开这一主题去涉及另一个主题之前，我要直率地说，我的屋里从来没有亮堂过，从来没有真正地亮堂过。它在外边，那光亮，空气焕发着光芒，对面墙上的花岗岩闪耀着云母片的光彩，它映照在我的窗玻璃上，那光亮，但它透不过来，结果，我这里的一切都沐浴在，我不能说是在黑暗中，也不能说是在昏暗中，而是在一种铅灰色的光线中，它并不投下什么阴影，因此，我很难知道它来自何方，因为它似乎同时来自四面八方，而且亮度均匀，无分强弱。而且我确信，比如说吧，这时刻，我的床底下也同比如说天花板同样亮，这可不是说什么大话，而是要告诉你，只是要告诉你。还有什么可说的呢？除了说这里没有真正的颜色还能说什么呢？这里没有真正的颜色，除非我们把这种浅灰色的炽热的光也算是一种颜色。是的，人们或许可以把它说成是灰的，我就愿意这么说，于是，在这灰色与多多少少被这灰色笼罩的黑色之间，随着时间的推延就会发生某种游戏或者冲突，我想说随着时间的推延，但这似乎又并不总是一个时间的问题。我自己，我也成了灰色的，我有时甚至感到自己发出灰光，比方说就像我的床单那样的颜色。甚至我的夜晚也不是天空的那种夜晚。很显然，黑色总归到处是黑色。但是,当我的小小空间享受不到我看到在远方闪耀光芒的星体时,当这一弯月亮或在重负之下受难的该隐①从不照亮我的脸膛时,黑色又是怎样的黑色呢?简而言之,外面似乎有光线,有别人的光线以及我的光线,那些人知道某一时刻太阳在地平线上升起,另一时刻它重又沉落在地平线下,他们计算这些,他们知道云彩的动向总是可以预见的,它们或早或晚总是要散得干干净净的。但是,我的光线,它也有它自己的往返周期,我不愿意否认这点,它有它的黄昏与拂晓,不过,说这话的是我自己,因为我自己也要生活着,这是一个无法挽回的事实。当我仔细地看了天花板和四壁的墙后,我意识到,我的屋里是不可能人为地放出光芒的,不能像对面房子的人们所做的那样放光,要放光就该有人给我一盏灯,或一支蜡烛什么的,但是,我不知道这里的空气是否就是那些可以助燃的气体。记事本,记下,在你的杂物堆,在你的拥有物中寻找一枚火柴,看看它是否能划出火来。还有声音,叫喊,脚步,门扉,喃喃声,在整整几日中停止了,其他人的日子。于是,是一片沉寂,我对此早已有准

---

① 据《圣经·旧约》,该隐杀死了自己的弟弟亚伯,上帝惩罚他到处流浪。此处比作月亮。

备,我只满足于说,这本来没什么,这话怎么说呢?这或许本没什么不好的。渐渐地,我的小小空间又重新嗡嗡地响起声来。你会说,这一切只是在我的脑子里,我自己似乎也常常觉得我是在一个脑子里,我觉得,这八面,不,这六面围壁便是一副巨大的骨架,但据此就要说这是我自己的脑子,我可不同意,我决不这么说。有一股气体在里面运转,我可以这么说,当一切安静下来时,我听到它在四周的墙壁上撞来撞去,被墙壁自然地弹回来。于是,在中央的什么地方它又重新形成,构成另外的潮流,组织另外的进攻,然后又重新解体,这微弱的气体运动的声音无疑就是产生于此,这就是我的寂静。要不然,那就是暴风雨的兴起,像在地面上的大气层里那样,它盖住了儿童、临死者和情人们的声声叫喊,那时我曾天真地说它们停了下来,其实它们从来就没有停止过。很难发表意见。脑腔里是真空吗?让我们看一看吧。假如我闭上眼睛,真的闭上,就像别人不能做到但我却能做到的那样,因为我的虚弱无能也是有限度的,那么,我的床有时候便会升腾起来,载着我,像一片麦秆,随着旋转的涡流,在空气中飘来飘去。幸亏这不是一个眼皮闭得紧闭不紧的问题,而是如同有人说的,必须使之变得盲目的一颗心灵,这一颗心灵人们百般否认都否认不了，它敏锐，满怀戒意，焦虑不安，在它的樊笼中折腾，如一束火光，在既无船只又无港湾，既无物质又无智力的黑夜里摇曳在航标灯中。哦，对了，我的脑子开了小差，它似乎

　　真不幸，铅笔一定是从我的手中掉了下来，因为我只是在经过四十八小时断断续续的努力之后（请看上文某处）才刚刚把它找到。我的棍子还缺少一个有吸卷能力的小管，就像夜里出来活动的貘具有的那种。其实，我可能更为经常地把铅笔弄丢，这恐怕不会给我带来麻烦，我想我甚至会感到更好受一些，我会变得更加开心，这将会更开心。我刚刚度过了两个难以忘怀的日子，但我们永远不会弄清楚这两天里发生的事，因为后退的步子实在过于大了，或者说还不够大，我已不再知道，要不然，我就只知道它们已帮我解决一切，完成一切，我说一切，是说与马龙（现在我正是这样称呼我自己的）以及另一个人有关的一切，因为别的东西根本就不关我的事。这就像细沙堆，或者是尘土堆，或者是灰堆的两次塌陷，其重要性固然不可同日而语，但其动作却可以说是协调一致，在每一堆身后的原地原处留下被称为空缺的珍贵之物。在这期间，我一阵一

阵地寻找着我的铅笔。这是一杆小小的金星牌铅笔,笔杆的颜色或许仍是绿的,有五个棱面或六个棱面,两头都削尖了,短得只剩下中间一点点地方,刚好让大拇指、食指和中指像老虎钳把它钳住。我轮流着用两头来写,并且常常舔着两头的笔芯,我喜爱舔笔芯。当铅笔尖变粗时,我就用长长的、黄色的手指甲去削它们,笔尖很容易折断,可能是因为缺少石灰质或是磷质。这样,我的铅笔慢慢地变得越来越短,这是不可避免的,总有那么一天,它会只剩下短短的一小截,连我的手都握不住它的。于是,我写字的时候尽可能少用力,然而笔芯硬得很,我若是不用力写,它就画不出道来。可是,我老是问自己:一支必须用力摁着写才能画出道来的硬铅笔和一支几乎无须用力就会涂黑本子的又松又软的铅笔,在使用寿命上到底存在着什么样的差别呢?哦,对了,我又走神开小差了。最奇怪的是,我还有另一杆铅笔,一支法国货,一支刚削了一次的圆杆铅笔,我想它可能在我床上的什么地方。在这个问题上,是没有什么可以不安的。然而我却很不安。现在,在四处追寻铅笔的同时,我获得了一次奇怪的发现。地板开始泛白了。我用我的棍子敲了好几下地板,突然,地板上传来一种干涩、空洞、有些虚假的声音。我顿时警觉起来，认真地注视着我的头顶上以及我四周另外的大面积墙板。在这期间，细沙一直在流着，我自言道：我永远也找不到它了，我说的是铅笔。我可以确认，自从上一次我已经记不清是什么时候的审察以来，所有这些大块的表面积，或许我应该说底面积，无论它们是处在水平面上，还是在垂直面上，尽管从我这儿看过去它们还不太直，都明显地变得灰白了，这一现象是那么引人注目，尤其是因为，随着时间的推移，世间万物的一般倾向，我想是在渐渐地变得暗淡，这里，尸体显然应当除外，当然还包括正在渐渐流失鲜血、褪去光泽但仍然还活着的躯体的某些部分。这也就是说，现在我屋里比起我所知道实际发生的情况要明亮得多吗？不，这个，我必须说不是的，它还是与往昔一样的灰白，有时候，它闪耀发光，随后便模糊起来，微弱起来，或者不妨说凝重起来，一直到把一切埋藏在我的目光下，除了那扇窗子，那窗子在某种意义上似乎就是我的肚脐，我可以说，如果有一天连窗子本身也像日食月食一样消失的话，我的心中还是基本有数的。不，我想说的一切就是，当我睁圆了眼睛时，我看到在这枯骨一般不安的黑暗的边缘闪出一丝光芒，据我所知，直到目前，这种情况还从未遇到过，我甚至还清清楚楚地记得已跟墙壁合为一体的糊墙纸或带花纹的贴面上那一朵朵玫瑰、紫罗兰和别的记不清名字的花，它们拥挤地扭曲在一起，无以计数，其数量之多，足使我感到平生从未见到过如此繁茂同时也如此美丽的花朵。可是，所有这一切中，似乎没有任何东西留了下来，一直留到现在，如果说在天花板上没有花朵，那一定有过别的什么东西，或许是小爱神，但他们也消失了。正当我追寻我的铅笔时，我的记事本——凭着某些痕迹，我断定它几乎就是一本儿童练习簿——突然间也掉到了地上，但我很快就把它捞了起来，用的是我那根棍子，棍子顶上的钩子滑进本子封皮上的一个破洞，然后缓缓地把它举起来。在这一段充满了小插曲、小事故的时间里，我在头脑中假设一切皆如流水一般，随着我的无限欢乐，冲过水闸，飞逝得无影无踪，直到最终什么都没有留下，既没有马龙也没有另一个。更有甚者，我一步不差地紧随着这一解脱过程的各个不同阶段，丝毫不觉诧愕地看到它一会儿缓缓流淌，一会儿奔腾汹涌，理智于我是那么清晰，事物决不会不按照它而以别的方式发展。独立于这些场景，我同样也欢欣鼓舞，我想到自己一生总在摸索中向前，而动弹不得其实也是一种摸索，对了，我常常在摸索的间歇驻足停靠。而现在我已然知晓自己应该做些什么了,一想到这,我就亢奋不已。这样,我自然又一次以幻象欺骗了我自己,我是说,我以为终于清楚地看到了自己荒唐的磨难历程,不过现在还不至于后悔。因为,我一边对自己说:这有多么简单!多么美!一边同时又对自己说:一切重又归于黑暗。并未带着过多的忧愁,我又找到了本来面貌的我们,我知道一点一滴地除去它,直到最后,随着疲劳袭来,双手开始表演起来,如同人们所说的,跟梦游似的,原地不动地抓满又放空,抓满又放空。因为我正等待着它,自己对自己说,终于结束了!从我这方面我必须说,这种感觉于我一直是相当熟悉的,就像一只懒散而盲目的手柔软地在我的细胞微粒中挖掘,又任凭它们一粒粒地在它的指间滚过。当万籁俱寂之时,我甚至感到它跳入我的体腔,一直到最深处,但是它安安静静的,简直可以说是在沉沉入睡。但是,不久,它战栗起来,醒过来,抚摩我,蜷缩一团,掏搂一通,有时还乱闹一气,好像在报复我,恨不得把我扫地出门。我明白它。但是我曾感觉过那么多怪诞而无实质的东西,我想恐怕还是闭上嘴巴不去说它们为好。举个例子,假如一定要说说我逐渐地化为液体,走向泥浆状态的那些阶段,或者说,我变得又硬又短,沉溺在一根针的孔眼里的那另一些阶段，这又有什么用呢？这只不过是一些善意的企图，但是它们于事情本身却改变不了什么。我曾说到我的那几次走神开小差，我想我那时马上要说，我还不如满足于现状，而不必将全身心投入这些故事中去累死累活地折腾自己，我不知道问题是不是严重到了这个程度，不过我猜想是的，因为，在我的记忆中，问题不会是别的。不过，现在要说些什么让记忆正确无误地转回来，我可真的是无能为力了。生与死的问题，真是太泛了。当我开始时，想必我有我自己的小念头，要不然，我就不会开始了，我就会安安静静地待着，我就会继续安安静静地在无比的厌烦中苟活着，摆弄摆弄小玩具，比如说玩玩圆锥体和圆柱体，玩玩喂鸟的小米粒和别的粮食粒，等着人来测量我的体温、血压等什么的。但是，我的小念头，它从我的脑子里飞走了。这没有什么关系，我刚又有了另一个念头。那也许是同一个念头，当人们熟悉一个个念头时，它们总是那么相像。诞生，这就是我现在产生的念头，也就是说，亲身经历一段时间去认识什么是自由游逸的二氧化碳，然后再感谢。这永远是我心底的梦。这就是我心底的永远之梦的一切。有了众多的弓弦，却没有一支箭。没有必要回忆。是的，瞧，我现在成了老胎儿一个，白发皓首，四肢残废，我母亲对此也束手无策，我腐蚀了她，她死去了，她将通过有坏疽的产道分娩，爸爸也是，他也许正喜气洋洋的好像要过节，我将满身枯骨地哇哇叫着钻出娘胎，我将不会哇哇大哭，没有这个必要。我在呛人的霉味中给自己讲了多少个故事，鼓吹着，鼓吹着，越来越膨胀。我对自己说着：总算行了，我把握着我的传说。到底是什么变了，使得我竟如此冲动？不，还是说清楚吧，我既不会诞生，也永远不会死去，这样反而更好。如果我在此讲述自己，然后再讲另一个我的小家伙，而且我还将吃了它，就像过去吃别的东西那样，那是因为我一贯如此，是出于爱情的需要，真他妈的，我没有料到这一点，这小精灵，我停不下来。然而，我似乎觉得我生了下来，我活了很长时间，遇到了杰克逊，在城市里、森林里和荒原上游荡，我在海边面对着群岛和半岛久久地哭泣着，黑夜时从那里闪耀出黄色而短促的微小光芒，整个夜里，白色的或颜色鲜艳的大火照亮了岩洞，我在洞中，幸福地蜷缩在岩石下的沙滩上，闻着海藻和潮湿的礁石的腥味，听着风儿呼呼地吹动和浪潮冲上沙岸时发出的叹息声，浪花轻轻地抓挠着卵石，裹来的泡沫刮在我身上，不，我不幸福，从来没有幸福这么一回事，不过我祝愿着夜晚永远不要结束,白天永远不要降临,白天一来就会让人们说:快点,生命在消逝,必须好好利用时光。再说,我生没生下来,我活没活过,我是死了还是快要死了又有什么要紧的,我将一如既往像我一贯做的那样去做,根本就不知道我干了什么,我是谁,我从哪里来,我是不是还活着。对,无论我说了些什么,我将试图创作出一个小小的具有我的形象的造物,要把它抱在我的怀中。一旦看到它来得不甚凑巧,或者酷似原像,我就将把它吃了。然后,我将在相当一段时间中独自一人,不幸地孤单一人,不知道我该如何祈祷,为谁祈祷。

我费了好些时间才重新找到了他,总算找到了。我是凭什么认出他的?我不知道。是什么让他变成了这副模样?也许是生活吧,去爱、去吃、去躲避法官的欲望吧。我潜入他心中,希望从中学到点什么。但是,乍一看来,这是一大片没有残屑与痕迹的空地。但我总归将从中寻找到一些残痕。我认定他在一个城市的闹市区,坐在一把长椅上。现在,他几乎是一个老人了。我凭什么认出了他?也许从眼睛里吧。不,我不知道我凭什么认出了他,我任何话都不收回。也许不是他。没什么要紧的。现在他属于我了。这是一个还活着的、不必要指出其男性性别的人，他正走在生命的最后一段历程上，假如我的记忆还管事的话，我可以说他就如同处于病后的一段恢复期中，人们往往跟在阳光后一溜小碎步地，或者在都市的地下铁道走廊中品尝着这生命的最后一段历程的滋味。周围，是一片令人厌烦的污物的海洋，手里捏着钞票，背上扛着行装，无休无止地走向那不应该在不该到达的时刻到达的地方。我必须做一些别的什么？对了，每一天都是那么短暂，又有那么多的事要做，要寻找温暖，寻找一些不太糟糕的东西吃。我本想象就这样会一直撑到最后。但是，突然间，一切重又狂怒起来，咒骂起来，我迷失在无边无际的难以抬脚的蕨丛中，我被抛弃在暴风雨洗刷一新的大草原上，不禁要问自己，我是否已然不知不觉地死去了，或者我已经诞生在什么地方了。我实在难以相信这短短的几年中，面包铺的老板们在傍晚时分常常是那么仁慈，还有苹果，我总是那么喜欢苹果，当你知道怎样动手时，它们可以说是免费等着你去吃，还有阳光与屋顶，对于真正需要阳光与屋顶的人，它们总不缺少。但是，这是说的我！瞧他，安安静静地坐在他的长椅上，背朝着河，穿戴得如同我们即将看到的，尽管他的衣服不算很多，我知道，我知道，但他不会再有别的什么了。我感觉到了。如果说他的这些衣服已经穿了有很长一段时间了——这从服装的破烂程度上一眼就能看出来——这也没什么,这是他最后的几件衣服。不过,衣服中就数大衣比较值得注意,因为正是它罩住了他,使他免遭许多白眼。要知道,它钉有一排好扣子,从上到下少说也有十五个扣子,每两个扣子之间至多只有三四英寸的间隙,这样扣上扣子后,衣服里面发生的一切就丝毫不会泄露出来了。尽管他的身体有两重折弯,大衣依然把他的那两只脚——那两只脚乖乖地搁在地上,一只紧靠着另一只——部分地隐藏了起来,这两重折弯先是在躯干的底部,股骨与盆腔形成一个直角,然后是在膝盖处,胫骨又处于垂直状态,因为他的姿势没有丝毫的放任自如,人们简直会以为他连具有连接功能的连接器官都没有了呢,他的姿势是那么僵硬,那么死板,构成的平面与角度是那么标准,仿佛就是奥罗拉亲爱的儿子门农①的尸骨的姿势。这里还要说一句,当他走路时,或者只是简单地站立时,大衣的衣摆确实在拖扫着地面,一走路,它便发出嗒啦

---

① 奥罗拉是罗马神话中的曙光女神,即希腊神话中的厄俄斯。门农在希腊神话中是埃塞俄比亚王,厄俄斯的儿子。他在特洛伊战争中被阿喀琉斯杀死,其母用浓云掩住自己的面容,令大地陷入黑暗,从大风中抢出他的尸体。

嗒啦的拖地声。这件大衣的下摆是流苏，就像某些帘布，袖管口的织线赤裸裸地露出来，披着长长的绒毛，随风起舞。他的双手也理所当然地被遮住，因为这遮丑的外衣的袖子也恰恰十分宽松。但是大衣领子很整洁，是法兰绒的或是平绒的。现在说说它的颜色吧，因为颜色同样也是一个重要的因素，人们没法否认，人们可以说的就是，这件衣服大致上算是绿色的。甚至可以打赌，这大衣新买来时是一种漂亮的全绿，怎么说呢，一种马车绿，因为往日的出租马车和四轮马车的壁板都是一种漂亮的酒瓶绿，我肯定亲眼看到过，即便说我曾经坐过这种颜色的车也不会使我大惊小怪的。但是，也许我把这件衣服叫作大衣是一个错误，兴许我更应该把它当成是一件外套，或者一件大氅，因为这样称呼更能说明它的作用，它确确实实是敞得大大的，套在外面的，包裹了一切，除了脑袋，脑袋自然钻出了它的包围，高傲地、镇定地伸在外面。对了，激情刻印在他的脑袋中，也许还有行动，但是，人们可以说，他那时已经不再痛苦了。不过，谁又知道呢。说到扣子，它们可不是严格意义上的真扣子，而是一些长约两英寸的木质的小圆柱体，中间有一个洞用来穿线，因为不管人们会说什么，一个洞就足够了，这是因为纽扣眼经过长年的磨损已经开得异乎寻常地宽大了。当我说到圆柱体时,我也许说得夸张了点,因为虽说在这些小扣子或小木栓中确实有不少是圆柱体的,但也有不少并不具有如此的形状。不过,所有的扣子差不多都有两英寸半的长度,这样,它们就能避免邻近的左右两块衣片彼此分离,所有的扣子在这一点上都是一致的。现在该说说这衣服的料子了,能说的一切恐怕仅有一句话,似乎是毡的。身体的各种不同的拧动和绞扭,给衣服造成了坑坑洼洼的突凸与凹陷,看来这些凹凸的产生已有好长时间了,而且已经回不去了。大衣就说到这里吧。关于鞋的故事,我准备另外专门说,只要我还能想得起来。帽子高傲地突兀着,如钢铁一般坚硬,在窄窄的卷边上靠近后脑勺处有一条宽宽的缝隙,好像是用于弹性的伸缩,使脑瓜子出入更为自如。大衣与帽子有一个共同点,如果说大衣相对于身体过于大了一点,那么帽子刚好相反,对脑袋来说,它又过于小了一点。尽管帽檐处的洞隙能像一把钳子那样卡住脑袋,但为了增加保险系数,主人还是用了一根细绳把这顶帽子拴在了大衣从上往下数的第一个扣子上,要知道,这本来没什么要紧的。现在,除了一个最重要的要素之外,这顶帽子的结构就没有什么可说的了,我说的这个要素当然是它的颜色，一切能够说的也就是，在阳光下它映照出一丝淡淡的黄中带有珍珠灰的反光，而在没有太阳光时，它近似于黑色，然而又从来不真正成为黑色。要说这顶帽子早先是属于一个运动员、一个赌赛马的或是一个牧羊人的，那也丝毫不会引起惊奇。现在回过头来看它们，当然不是分开来看，而是就它们的互相关系来看，人们很快就会觉得有些甜丝丝的惊讶，人们会看到这件大衣与这顶帽子原本是多么相配。人们会说，别的且不管，它们很可能买于同一年代，也许同一天，被同一个花花公子买下，当然，一件买自帽商，一件买自服装商，因为说到底，很可能会有那么一些美男子，不仅身材高大，六英尺以上，而且同时又都有一个刮得光秃秃的小脑袋。又一次看到自身处在这样的一种永恒的关系中真让人舒心，这些关系到了最后便一致失掉自身价值，在疲倦的时日中迫使人们屈服，我是说，屈服于灵魂的不朽，不过，我看不出其中的关系。但是直到目前，我们只看到了经历着风吹雨淋的外套，公开场合中的外表，现在为了把话题转向真正意义上的服装，转向内部甚至贴身的服装，我们就遇到了困难，眼下就这个主题而言，还不能打包票说可以前进一步，因为萨泼——不，我再也不能这样叫他了，我甚至问自己我怎么竟会容忍这个名字一直到现在。那么应该说，因为，你瞧瞧，因为麦克曼，这个名字也不见得好到哪里去，但是没有时间可浪费的了，因为麦克曼在这，在这宽袖长外套底下将赤裸裸一丝不挂，像条毛毛虫一样，而在表面上什么也不会显示出来。麻烦的是，他不动弹。从早上起，他就在那儿，而现在已是晚上了。再过一小时，天就将黑了。在港口，人们能见到最后的一批平底驳船，竖着黑色的红色的烟囱，装载着空酒桶。水波晃荡起来，发出汩汩的声响，然后，在它宽阔的颤抖着的洼面上又重新炫映出远处落日的火焰，橙红，粉红，翠绿。他把背转向河流，但河流仍然在向他显现，也许是通过傍晚时分飞聚拢来的海鸥的叫声，这些鸟儿饥饿至极，发出可怕的叫声，在好望景旅馆对面的地下水沟出口周围飞来飞去。对了，它们也同样在垃圾上做着最后一次疯狂的举动，然后，它们将到高处的峭崖上过夜。但是他所面对的却是人，这时刻，众多的人都在大街上走着，一天的工作结束了，而整整一个漫长的夜晚在等待着他们。一道道的门，办公室的门，商店的门，还有别的门，各自纷纷地吐出里面的人。由此获得了自由的人一时间冒失鬼似的在人行道上形成了密集的队伍，一股人流，随后又疏散开来，每一个个体走在他为自己划定的路线上。即便是那些明明知道一开始要走在同一方向的人，因为说到底，一开始要经过的路数目不算多，即便是那些平时经常打招呼问候的人，也彬彬有礼地互道再见，有的说时候太晚了，便匆匆回家，有的借口要往另一个方向去购物，反正不管是什么借口吧，再不然就什么解释都不做，因为说到底，每个人都有自己的习惯，也熟知他人的习惯，在这些事儿上，其实是没有什么可指望的。活该那个竟然有例外打算的人啦，他居然想和另一个有相同愿望的人自由自在地走上一段路，和谁走，这没有多大关系，只要这一位恰恰在今天晚上走出工厂，走出柜台时遇上另一个有同样需要的人。那么，他们会心满意足地一起走上一段路，然后分手，每个人或许在肚子里暗暗地说，现在他会以为可以为所欲为了，或者一句更短的话，甚至一句没有结尾的话，反正按照这些话儿的规范，人们能心安理得地休息在社会生活的一切细枝末节之中。在这一时刻，在这一为众多的人打开了休息与娱乐之路的时刻，绝大多数的夫妇回到家中，醉心于色情趣味的简单问题，而很少有夫妻处于孤独一身的状态，在马路上，在十字街头向着东南西北各自的方向，信步荡去，无法接近欢娱的场所，胳膊肘撑着栏杆，越来越远地背向着住宅楼的墙。但是他们不用多久就会到达有人等待他们的地方，有的人回家或去别人家中，有的人如人们所说的待在外头，待在一个公共场所或一个合适的地点，常常是在一个大门口或是在一片披檐下，为了躲雨而已。在这后一部分人中，早到的人通常很少，因为说实在的，所有人都匆匆忙忙地你找我，我找你，他们知道留给他们的时间很短暂，这时间能让他们说一说心中和肚中的一切事，做一做他们必须一起来做而不可能独自做的事。这些人总还有几个小时的安全。然后，将是困意，是带着小铅笔的小本子，是哈欠声中的告别。有些人甚至还坐出租马车，以便更快地赴约，或者在美好的一刻结束之后回家或回旅馆，他们自己温暖的床正在那里等待着他们。于是，人们看到了马儿，无论什么马，不管是供人娱乐的马，或是赛马，或是耕马，或者套车的马，都在富有的主人家中走过一段不远的小小的实习期，最后走向屠宰场。它在最短促的时间里驻足歇息，一副疲惫不堪的神态，沉重的脑袋耷拉得不能再低，也就是说，差不多垂到了地面，有车辕和马具碍着，已经无法垂得再低了。但是，一旦奔跑起来，它就变了样，尽管在刚起步时还不尽然，也许是因为它还沉湎在刚被唤醒的记忆中，因为仅仅奔跑与牵拉的动作本身是不会使它激奋起来的，毕竟是在如此艰辛的条件中嘛。但是，每当车辕抬起来时，或者相反，每当背带勒紧了脊梁骨时，这两种情况都在告诉它有顾客进了车座，因为根据顾客的坐向，面向前坐或是更为舒服地脸朝后坐，车辕与背带便有不同的反应。每当此时，它就飞扬起脑袋，绷紧了腿弯的飞节，显出一副兴高采烈的神态。人们也看到了马车夫，独自一人坐在离地面十英尺高的座位上，无论气候好坏，季节深浅，膝盖上总是盖着一条毯子，而且颜色往往是深栗色的，这正是那条他刚刚从马屁股上掀走的毯子。通常，车夫总是脾气暴躁，一脸愠怒，或许是等顾客等久了的缘故，载客跑的距离哪怕再短似乎也能激发起他的狂怒。他的那双激奋不已的大手拽着缰绳，身子半立起来，向前弓着腰，狂怒地用缰绳摔打着马的脊背，发出响亮的啪啪声。他破口大骂，盲目地率领着车马冲入了陷于黑暗之中的拥塞的小街。乘客报出了他要去的地名，他知道自己被禁闭在这黑洞洞的车厢里，对自身的处境和沿途发生的情况已无能为力了，便任凭自己的思想摆脱一切责任的色彩而自由自在地驰骋腾跃，他或许梦想着即将面临的人事，或许回味着刚刚脱离的情景，一边自言自语道，这不会总是一回事，随之，马上又说，但是，这又总是同一回事，要知道，世界上不会有四百种不同的乘客的。就这样，他们——马儿、车夫和乘客——匆匆忙忙地越过一群群乱糟糟的行人，抄了最近的一条路，或者拐弯抹角地，向着指定地点驶去。每个人都有自己的理由，又都时不时地自己问自己它们的价值是多少，问它们是不是站得住脚，每个人的理由规定了他正在走向他要去的地方而不是别的地方，不是不存在的地方，马儿比起人来更加糊涂一些，尽管它往往是在到达以后才知道它要去的是什么地方，如此等等。假如那时正是黄昏的话，另一个需要记住的现象，便是在一瞬间里闪亮的窗户和玻璃橱窗的数目，它们闪耀出的是落日的形象，尽管这同样要视季节而言。但是对麦克曼而言，喔唷唷，又是他呀，这真正是一个春天的傍晚，春分时节的烈风扫荡着港口，两岸码头边上耸立着红色的高层建筑，其中许多是货栈。或许，这是一个秋天的傍晚，那些不知从何处飘来的树叶儿，因为此地是没有树木的，看上去已不是年初时分的那种嫩绿，而是经历了夏季长久的欢悦，现在已不再有用的老叶子，它们恐怕只能化为腐殖土了，既然现在人与动物都已不再需要绿荫，鸟儿们也不再需要在树枝上筑巢下蛋孵雏，再没有一颗心在此跳动，树木也该变成黑色了，尽管有些似乎仍然保持着绿色，这真要问一问是为什么。而对麦克曼来说，现在是春天还是秋天好像是无所谓的，除非他喜爱夏季更甚于冬季，或者相反，而这似乎不太可能。不过，人们不要以为他将不再动弹了，将不再变动一下位置和姿势了，因为他仍然还有整整一个老年期要度过，随后，还有所谓的那种收场白，当然，这种尾声到底是什么，人们也不怎么搞得清楚，它似乎不会再给既有的经验增添什么东西，也不会再向他的糊涂剥夺什么，不过它肯定有它的用处，就像人们要先把麦草晒干然后再送它们入仓一样。无论他愿意与否，他将站起来，经过别的地方走向另一个地方，然后，再由那个地方经过别的地方走向另一个别的地方，除非他还回到这儿来，在这儿他好像感到不太愉快似的，不过，没有什么比这更说不准了，长年累月中，他将如此这般地转移，如此这般地再转移。因为要想不马上死掉，就得时不时地来回走一走，除非有人在固定地点为你提供膳食，就像我现在这样。人们可以两天、三天甚至四天一动不动地待在原地，然而，当人们面临着整整一个老年期，而且还有漫长的蒸发期，直到最后剩下一秆麦草，四天工夫又意味着什么呢！当然，人们还不知道答案，人们认为危在旦夕，如同任何一个人一样，但殊不知兔子不是在那里过夜的,兔子是在人身边过夜的。不知道这一点或那一点都没什么关系,知晓一切或是什么都不知晓也都不管什么用,麦克曼就什么都不知道,不过他不愿意承认这一点,他只是承认自己不知道某些事情,那些叫他害怕的事情,这倒是挺合人情的,不过,这会过去的。这甚至是一次错误的计算,因为第五天他必须站起来,他真的站了起来,不过,比起在头一天屈服的话,或者在前一天就打算屈服的话,他要承受多得多的痛苦,而为什么要增添痛苦呢,这是错误的计算,他是不是真的增加了那么多的痛苦,这不太确定。因为在第五天,当事情涉及必须站起来时,他不再想什么第四天、第三天的事,他在糊里糊涂的半昏迷状态中,只想到眼下受的痛苦。有时候,他做不到,我是说他站不起来,他必须爬着走,一直爬到最近的蔬菜地,依靠青草丛和粗糙的土壤的摩擦力向前爬,或许他一直要爬到荆棘林里,有时候那里会有好东西可吃,尽管它们酸溜溜的怪涩人,但比起在蔬菜地里,这里吃东西有以下的优越性,他可以躲藏起来,遮掩起来,而这,比如说吧,在土豆地里,就不太自如了,尤其是在庄稼成熟期,他在地里常常妨碍那些胆怯、粗野然而不怎么可恶的动物,不管它们是长羽毛的,还是长皮毛的,这是一个小小的快乐。这并不是说，他有办法在一天之内获得足够的食物，以维持三个星期或者一个月的生命，一个月，与整整一个衰老期比起来，还不算风干期，到底算得了什么，一段悲惨的日子罢了。但是，这食物，他没有，就算有他也不会好好利用，他感到自己好像离明天仍十分遥远。总是等待无望，到后来兴许他都不再相信了。他兴许正处在生命的这样一刻：活着就是独自在无边无际的一刻之中游荡，光线不再变化，所有穷途潦倒之人全都一模一样。比鸡蛋白稍稍蓝一点点的眼睛盯着鼻子尖前的一片空间，仿佛它在此间成了永远宁静无比的深渊。它们要间隔很长时间才能闭一次，闭眼时，往往看不出他有什么愤怒，只是眼边的皮肉十分轻松、十分快速地抖动一下、收缩一下而已。那时，人们就可以看见他衰老的眼皮，又红又皱，看起来好像很难合上，因为它们有四片，每个泪腺上有两片。也许正在此时，他看到了旧梦中的天空，看到了大洋中游弋的艇船，还看到了大地，他看到了海洋的痉挛，如若没有其他的浪一起汹涌奔腾，任何一片浪花也就不会奔腾，这是与人的运动十分不同的运动，人并不互相牵制，人是往来自由的，每人都随心所欲地运动着。他们不失时机地来来往往，每个人各自以自己的运动发出各种关节动作的嘎吱嘎吱声。当一个人死去时,别的人继续运动着,仿佛什么都没有发生过。

我感到

我感到它要来了。怎么样,谢谢,它要来了。我本想在记下这一笔之前就弄它个明白。这就是马龙,一生谨慎,至死仍稳稳跨坐在头发上。弄它个明白,我是说,感觉到这是不久的事,因为我从来没怀疑过它或迟或早总要来临,除非在那些我似乎感到它已经来临的日子里。尽管我给自己讲着故事,但从心底里,我从来没有停止过认为自己有血有肉地活着,呼吸着空气,依靠着大地,哪怕一日日充满了相反的论据。不久后,也就是说,从现在起的两三天之内,说到日子,当人们教我每一天的名字[①]时,我实在惊奇,它们怎么竟然这么少,我挥舞着小拳头叫道:还有呢!还有呢!时钟表盘的意义,两三天,到底是什么,说到底,或多或少,一场玩笑而已。但是,不能露出声色来,因为赌钱时准备去输,身心才算健康,我只消继续下去,仿佛我必定延续到圣约翰

---

① 指每星期七天的名称,在西方语言中,它们分别与太阳、月亮、火星、水星、木星、金星、土星的名称有关。

日，因为我认定自己活过了人们称之为五月的那个月份，我不知道为什么，我是说，我不知道为什么我认定自己活过了那时，因为五月份来自迈亚①，他妈的，这个我也记住了，来自这个生长与丰茂女神，对，我认定自己进入了生长与丰茂的季节，这是一种简简单单的相信，至少相信生长期，因为丰茂期要来得稍稍晚一些，那是收获季节。那么，安静，安静，这仍是一个圈套，到万圣节②我还将留在那里，在菊花丛中，不，这样说我太过分了，今年我将是听不到它们在公墓藏骸所哭泣的。话又说回来，感觉到躺在这上面也够吸引人的。世间万物，一切都在走向最近的宽敞地，尤其是我的双脚，即使在正常时期，它们就已经远离我了，比所有其他的器官离我更远，我是说离我脑袋更远，因为我就是把我关闭在自己的脑袋中，这么说没错，我的双脚使我走到数里之外，而要把它们带回到我身边，要照料它们，清洗它们，我似乎觉得没有一个月的时间是不够的，从我发现它们并将它们定位之时起算。真是怪事，我不再感觉到自己的双脚，感

---

① 在希腊神话中，迈亚是普勒阿得斯（昴星团的七星）之一，阿特拉斯与普勒俄涅的女儿，与宙斯生赫耳墨斯。
② 万圣节在11月1日。次日便是亡灵节，人们一般要带上菊花去墓地扫墓。

觉居然宽大为怀地离开了双脚,这时,我感到双脚远在连最高倍的望远镜都照不到的地方。这是不是就像人们所说的,一只脚踏进了坟墓呢?一切都是如此相称,因为,假如这只涉及局部现象,我就不会注意到,我的整个一生只是种种局部现象的一个组合,或者一个延续,而事实上,这些东西又什么都没给予。但是在别的条件下我的手指也在写,当我昏昏入睡之时,流动着的空气也在写,它吹拂笔记本,在我的不知不觉中掀动着纸页,以至于主语远离了动词,状语又来插立于某个空白之处,这空气不是倒数第二个居住地的空气,事儿就是这样。已被遗忘的太阳将树枝花朵之类的阴影投在我的手上,产生出点点明亮的光斑,水波纹似的闪着光。现在,说说我的性器官,我是说阴茎本身,尤其是顶部,当我还是童男时,从它那里喷射出一泡泡的浆液,它们接二连三地击中我的面孔,然而在发射的这一小段时间里,这一泡泡接得又是那么紧,简直可以说是一阵连续不断的激流,而现在,从它那里只是时不时地还会挤出一点点尿来,要不然的话,我就会死于尿毒症,我再也不想看它了,并非我一定坚持非要如此不可,我看它看得实在太够了,我们互相间眼睛盯着眼睛看得实在太够了,我是跟你说说而已。但是,这还不是一切，并非只有我的手脚各自依照自己的轴心在行动，远远不止如此。我的屁股，就拿屁股做例子吧，人们不能够指责它为无论什么东西的末尾，除非人们想在这里看到嘴唇，假如它按时拉屎，那么恐怕会令我吃惊，我真的以为能见到碎屑出来到澳大利亚。而假如上帝尚能保佑我，让我再一次站立起来，我仿佛觉得我会填补上宇宙之中的相当一块地方，哦，对了，并不比躺着时多填多少，但是，那样恐怕会更引人注目。因为我总是注意到，要想不被人注意到的最佳办法就是弯曲着身子，一动不动。瞧我，我向来总以为我会这样一直缩下去，直到最后被埋葬在差不多珠宝匣大小的盒子里，瞧，我现在倒膨胀了。或者，因为根本性的东西如同杰克逊所说的变得如此微不足道，意外不测之事就显得无穷无尽，从根本性上说，我应该听到这一个小小的蠢货，它隐匿在我真正的脑袋中的什么地方，它仍未屈服，躲在我已然屈服的脑袋的阴影之中，它确实是那么纤小，尽管我看不到根本性的东西与意外不测的东西会在这里面做什么，我不明白，也许是后者缩小到了夜蛾的一只单眼那么大小，而前者变得巨大异常，布满在阴影之中，我本该说的或许是这么个意思。不过没有多大关系，根本性的事儿，瞧，我们又回到了这个话头，根本性的事是，不管我的故事发生在何时何地，我还继续在这个房间里挺着，让我们把它叫做一个房间吧，这一点我很愿意坚持，而且我在这儿也很安静，我将在必要的时间里一直继续挺在这儿。而要是万一我终于完了蛋，我将不是暴死在街头，也不是死在医院，而是在这儿，在我的拥有物中间，靠近这一扇窗子，靠近这一扇我有时把它说成一幅以假乱真的画的窗子，以假乱真得就像维尔茨堡①的提埃坡罗②的天花板，瞧我成了什么样的旅游者，而且我没忘了在写维尔茨堡这个词时加了两点分音符，但这不是真正的分音符③。假如我真的能确信无疑，我现在就会重新来讲我的尸床了。然而有多少次我通过门看去，看到这颗苍老的脑袋出去了，与膝盖处在同一高度，因为我的骨骼大，分量重，再者，门很低，而且在我看来越来越低。每一次它都磕在门框上，因为我高大，而楼道狭小，那个抬着我的脚的人要走

---

① 维尔茨堡（Würzburg）是德国巴伐利亚州的一个城市。

② 乔瓦尼·巴蒂斯塔·提埃坡罗（Giovanni Battista Tiepolo，1696—1770），意大利画家，他应维尔茨堡主教之邀，在维尔茨堡主教府的大厅作天顶画。

③ 分音符指法语中加在元音 i、e、u 上表明要与前一元音分开发音的符号，书写时为两点。Würzburg 中的 ü 不是分音符。

楼梯，无法等我完全进入，我是说进入楼道，他不得不一出门就先转身拐弯，不然他就得撞到墙上，我是说撞到楼道的墙上。就这样，我的脑袋便磕在了门框上，这是不可避免的。对我的脑袋来说，在这种程度上，反正都是一样的，但那个抬着我脑袋的人叫了起来：哎，鲍勃，轻一点！也许是出于尊敬，因为他不认识我，他从不认识我，或者，他是害怕会碰疼了手指。砰！轻一点！走吧！小心门！房间终于空了出来，经过消毒，又将符合规格能够接待，谁知道呢，是接待一个众口之家，还是接待一对年轻的情侣。对了，已经到了，人们只是等待那一刻拿它来派用场，这就是我的自言自语。但是，我自言自语说了那么多事情，在这喋喋不休的废话中究竟什么是真实的呢？我不知道。我只是认为我不能够说出任何真的事情，我是说任何已经发生在我身上的事情，这当然不是一回事，但这没什么关系。是的，这就是我爱我自身中的东西，反正，是一件我喜爱的东西，就如同，比方说，有天资能够说起来，共和国！① 或者说，亲爱的！而无须自问我是不是最好闭上嘴巴或者说说别的什么事，对，我没什么可思考的，话前话后都不需要，

---

① 原文为英文"Up the Republic"。

我只需张开嘴巴,让它自己来证明我的老故事以及使我变得喑哑无言的长久沉默,它持续得那么长久,一切都发生在一个巨大的沉默之中了。假如万一我缄口不语,那是由于没有什么可说的了,尽管一切还没有都说完,甚至一切都还没有说过。不过,让我们留着这些病态的问题吧,回过头来说说我的死亡问题,只要我的记忆力还管事,这就是两三天之内的事了。到那个时候,莫菲、梅西埃、莫洛伊、莫朗家的人还有马龙家的其他人都将完蛋,除非他们在九泉之下继续生活。但是不要在十二点到二十三点之间,先让我们死去,然后我们再考虑。我杀死过多少人,往脑袋上猛击或是放火烧死。被问得如此措手不及,我只想起四个,陌生人,我从不认识任何人。我真想看看无论什么东西,就像以前曾经发生过的一样,看看任何一件我还能够想象出来的东西。这里面还有老人,我想是在伦敦,你瞧瞧,又是伦敦,我用他的剃刀割断了他的喉咙。这就有五个了。这后一个,我似乎觉得他有一个名字。对,现在,我好像需要一点点意外,可能的话再带点色彩,这会令我好受些。因为,我也许只会再做一次旅行,在我熟悉的长长的走廊中,带着我钩住的小小太阳和小小月亮,还有满满几衣袋的石子好代表人们以及他们的人生时期，仅仅一次，这就是我的期望。随后，再回到这里，回到我自己，这真是模糊，不再离开我自己，不再向我自己要我没有的东西。也许我们都将回来，聚集一起，不再离开我们自己，不再窥伺我们自己，回到这间脏兮兮、白森森、凹成圆穹顶就像象牙中被镂空那样的小房间里，什么象牙啊，简直可以说是一颗老残齿。或者，我将独自回来，如孤身一人跑出来那样孤身一人回转，不过我不这样想，我在这儿已听到他们，跟在我身后在走廊里大喊大叫，在瓦砾堆里跟跟跄跄，求我把他们带回来。这是确实无疑的。我刚好有这段时间，假如我的计算无误，不过，假如我计算有误反而更好，我不要求更好，再说，我什么都没有计算过，我也什么都没有要求过。刚好有时间去走最后的一圈，再回来，做我必须在这儿做的一切，因为我在这儿还有事情要做，我再也不知道具体是什么，啊，对了，好好整理一下我的那堆东西，然后，还有别的事，我已不再知道，不过，它在必要的时刻会回到我的脑中。我只是想在出发之前能在墙上找到一个洞，在那后面永不停歇地发生着那么异乎寻常的事儿，而且，常常是彩色的。最后轻轻地瞥一眼之后，我似乎便可以心满意足地出发，如同走向——我会说——基西拉岛①,明确地说,现在是它停止的时刻了。说到底,这扇窗确实是我所希望的那样,恰如其分,真的,你别把自己牵连进来。首先,我注意到它很古怪地变圆了,几乎像是一个牛眼洞窗,或是一扇舷窗。这没什么关系,既然窗的另一边有着什么东西。首先,我看到夜晚,这令我吃惊,我问自己这是为什么,因为我愿意再一次大吃一惊。在我这儿,是没有夜晚的,我知道,无论我会说出什么来,这里,从来没有过夜晚,但是,这里时常要比现在更加昏暗,现在外头正是夜深人静之际,黑夜中只有些许星星,不过它们已经亮得足以告诉我们,这一片黑暗的天空正是人世间的天空,而不是一幅描在窗玻璃上的图画,因为真正的星星看起来是会哆哆嗦嗦地闪亮的,而要是画上去的话,它们就不会闪动了。正当这一切还不足以让我确信那真的是窗外的真实世界时,对面窗户里的灯光亮了,或者,我感到那儿的灯亮了,因为我不是那种一眼瞥去目光就能牢牢抓住一切的人,我必须长时间地注视着,让各种东西有时间走过那一段

---

① 基西拉岛是希腊爱奥尼亚群岛中的一岛,希腊神话中为爱与美的女神阿佛洛狄忒之岛,在文学艺术中常常被比作爱情与欢悦的伊甸园。

将它们与我分隔开来的长长的道路。这里头确实有一种带吉兆的侥幸，除非它是故意制造出来嘲笑我的，因为我可能再也找不出更好的方法，帮我从这地方出发，再一次走向不太严合的世界，我只能找到什么都没发生的夜空，尽管它充满着喧嚣与暴力。或者，必须要有整整一个夜晚在面前，好追随其他世界那缓慢的降落与升起，或者，好等待着流星的出现，而我，我的面前没有整整一个夜晚。我并没有兴趣去知道他们是不是在黎明之前起床，或者他们是不是还没有躺下，或者他们在子夜时分已经起床，可能打算再次躺下，等他们一旦完了事，他们就将去睡，我只要看到他们一个挨着另一个站立在窗帘后面就够了，窗帘是那么阴暗，可以说它透出一丝阴暗的光，它给他们带来一片不那么清晰的阴影，因为他们彼此贴得那么紧凑，人们简直会说他们成了同一个整体，由此，也可以说他们投下的是同一片阴影。但是，当他们摇晃起来时，我看得很清楚，他们是两个，他们没必要绝望地紧挨在一起，我看得清楚，他们是两个独立而且分离开的身体，每一个都封闭在自己的疆域内，他们并不需要彼此依靠着才能来来往往，才能维持生命，因为他们自己就能满足自己，人人为己，仅此足矣。他们也许很冷，所以才如此彼此摩擦，因为摩擦能生热，能维持热量，当热量跑走时还能让它再回来。这一切真是既美丽动人又令人好奇，这个由许多部分组成的复杂的大胖东西，它摇晃，它摆动，因为他们也可能是三个人，不过颜色过于单调罢了。但是，夜晚应该是热的，你瞧，窗帘掀了开来，一束五彩缤纷的颜色如烟火一般爆炸开来，先是肌肤的浅玫瑰色和肉白色，随后，是深玫瑰色，想必这来自一件衣服，还有金黄色，我简直没有时间给自己做出解释。那么，他们一定不冷，所以才穿那么一点点衣服，而且待在风口里。啊，我多么愚蠢，我知道是怎么回事了，他们一定是正在做爱，人们这么待着一定是在干这个。好，这很合我的意思。我要看看天空是否还在那里，然后我就走开。现在他们紧靠在窗帘上，他们不再动了。可能他们已经结束了！他们站着做爱，就像狗那样。他们可能将马上分开。又或者他们只是稍稍喘一口气，然后又拧成一大团。向前，向后，想必很来劲。他们一脸痛苦，快，够了，再见。

突然遭上一场雨，四下里没有任何遮蔽物，麦克曼停下步，躺下来，自言自语道，这样身上挨着地的那部分表面仍会是干的，而要是站着，我就会被淋得浑身湿透，仿佛下雨就像是在打点滴,就像电一样,问题十分简单。稍一迟疑后,他便跪了下来,要说可能,他甚至可以把手旋到后面位,或者折腰把身体分成两截,恰如将一个梨切成两半。但是他似乎觉得后脖与背一直到腰肋的地方不如胸与腹来得脆弱,他甚至并不比装西红柿的柳条筐更加明白以下这一点,即所有这些部位全都亲密无间,甚至牢不可破地彼此联系在一起,直到死神来临,它们还与他连一点点概念都没有的其他许多东西相联系,他不明白,屁股骨上沾了一滴不合时宜的水珠可能会引起笑肌在好几年里痉挛不已,这就如同我们平日里见到的,当我们步行跨过一个泥水塘时,我们会莫名其妙地咳嗽,打喷嚏,而腿脚,除了泥浆的作用力可能引起的舒适感之外,却没有感到丝毫的不适。这是一场重重的、冷冷的、直直地落下的雨,这使麦克曼有理由猜想它不会长久,仿佛在强度与持续性之间存在着一定的相关性,他可以在十分钟或一刻钟之后站立起来,而胸前保持灰尘蓬蓬。这确实是一个他对自己讲了一辈子的故事,他自言自语道:它不可能持续多久。那是某日下午的一段时刻,不可能确切知道是在几点,在那一个天低云暗的日子里,时间早已过去了好几小时,那么,就是在下午了,十分可能,太可能了。没有一丝儿风,天既不像冬天那么寒冷，也似乎没有温暖的迹象。由于雨水顺着缝隙流进帽子引起了不舒服，麦克曼干脆摘下帽子，把它搁在太阳穴上，也就是说，他转了转脑袋，让脸颊贴在地面上。他两臂张开，两只手各自使劲地抓着一团草，使出吃奶力气抓着，仿佛自己紧贴在悬崖峭壁之上。让我们继续这一描绘吧。大雨敲打着他的脊背，一开始发出打鼓的声音，随后马上变成洗衣的声音，仿佛有人在洗衣池中漂洗东西，发出咕噜咕噜的声音和一种像是在吮吸的声音，他饶有兴致地发觉，在发出声响这一点上来说，雨下在他身上与下在土地上竟然有如此不同的结果，因为他的耳朵处在与面颊的同一平面上，或者说几乎在同一平面上，都贴在地面上，这在下雨时是极为罕见的，他听到了吮吸着雨水的大地那远远的咆哮，听到了蜷曲而又水淋淋的青草的呻吟。惩罚的念头一时间涌上他的脑际，不过他的脑子对这一类奇异的怪想已不觉惊奇，倒是他身体的姿势，还有仿佛在痛苦中扭曲的手指头给他留下了深刻的印象。不知道自己到底错在了什么地方，他感觉到活着并不是一种足够的惩处，或者，这种惩处本身也是一种错，因而又招致别的惩处，如此循环不已，就仿佛对活的人来说可能存在着生命之外的别的东西。也许他早就会问自己，是否真的要先犯罪再受惩罚，而丝毫回忆不起——令人越来越难以忍受地——他曾经同意先存活在母腹中，然后再离开它。但是，就算在这一问题上，他也不能看到自己真正的错误，他看到的仍然是一种惩处，他不知道怎么引导它，它远远不能洗涤他的错误，却只会把他更深地推向错误之中。说真的，错误与惩处的概念渐渐地在他的思想中混淆在一起，这就如同原因与后果的概念常常在那些仍在思考因与果的人们脑中混为一体。他常常难受得颤抖不已，自言自语道：这会会让我付出沉重的代价。但是因为不知道怎么才好，不知道怎么才能得体地思维与感觉，他就无缘无故地微笑起来，就像现在，就像那时，因为这已经是遥远的过去的事了，这个下午，在三月份，或者也许在十一月份，不，宁可说是在十月份，在这个遭大雨浇淋而又找不到遮蔽处的下午，他微笑起来，感谢起这一场暴雨，感谢起这倾盆大雨为他带来的希望，能在稍晚些时候看到星星的出现，它们将照亮他的道路，在他迫切需要之时为他指明方向。因为他不知道自己身处何地，他只知道自己在平原上，山离他不远，大海与城市也不太远，他只需要一丝丝的光亮，需要几颗固定的星星，便可以明确地朝一颗星走去，或者朝另一颗，或者朝第三颗，或者按照将定的决策停留在平原上。因为,要维持在原来的位置上,也得要有光亮,不然,人们就会原地打转转,这在黑暗之中是做不到的,或者,人们就会马上停下来一动也不动,一直等到光亮再次出现,这时,人们就会冻死,除非天气不冷。但是,麦克曼在经过四十分钟或者是四十五分钟充满信心的等待之后,看到大雨仍在那么猛烈地下着,看到白天就这样过去了,那时,他若是还不开始抱怨自己所做的,也就是说一动不动地趴在地上,他就有点超乎人类的常性了,他开始觉得,与其这样傻趴着,还不如早早继续赶路,走一条尽可能直的线路,兴许或早或晚还会遇上一棵树,或是一处废墟。他感到奇怪的并不是这场雨的猛烈与持久,而是自己从第一滴雨点起就没有意识到,这将是一场长久的、暴烈的雨,自己不应该停下步子,趴着躺下来,相反,应该加快步伐,目不斜视,义无反顾地向前走去,因为他是人,是人的儿子,人的孙子。但是,在他与那些个严肃认真的,有的长着山羊胡,有的留着八字胡的人之间,有着这样一个差别,他传宗接代的种子从来没有碍过别人的事。他与同类的维系仅仅限于直系的祖辈,他们全都已然作古,却以为仍在延续。亡羊补牢,犹未晚矣,这能让真正的人们,真正的环节认清他们的错误，让他们重新站立起来，急匆匆地向下一个错误冲去，麦克曼是做不到这一点的，对他来说，有时似乎没有足够的永恒可以在他有限的生命中拖沓，沉溺。远没有达到这一步，谁等待了足够的时间，谁就将永远等下去，超过了某一期限，就什么也不会再发生了，没有人会来，除了自知无谓的等待，别无他物。这或许正是他彼时的处境。而当人们死去时（举例而已），一切也就太晚了，人们等待了太多，人们没有活够以至于不能停下来。他或许处在这个阶段。但是，人们也许会说不是，尽管行动算不上什么，这我知道，这我知道，脑子里闪过的念头也不算什么。对了，人们真的会说不是。他责备自己刚才的举动，责备自己对形势的可怕的错误判断，却没有站起身来继续赶路，而是翻了一个身，背朝地脸朝天，将整个前身暴露在滔天的洪水下。正是在那个时候，他的头发清清楚楚地露了出来，自从他在故乡秀丽的田野上长途跋涉以来，这还是第一次光着脑袋，他的帽子已经离开了头顶。因为，当一个原来俯卧在一块荒野之地因而可以说无限之地上的人翻身仰卧时，就会产生整个身体的侧向移动，脑袋自然也随身子的其他部位而移动，除非他故意避免头部的移动，此时，脑袋将会移放在离原来位置大约 X 英寸的地方，X即是以英寸为单位的两肩间的宽距，因为脑袋正好处于两肩的正中。但是，假如你是躺在一张狭窄的床上，我是说这床窄得仅仅能让你躺下，比如说一张行军床吧，这时候，任凭你怎么翻来覆去地折腾，俯卧复仰卧，仰卧复俯卧，脑袋却总是处在同一位置上，除非你故意将它侧着，向左边或是向右边，无疑有不少人喜欢这样费力地扭来扭去，希望能带来一点点的凉快。他试图盯着这一大团黑乎乎、湿淋淋的天空看，但大雨重重地打在他的眼睛上，打得它们发疼，打得它们不得不闭上。于是他张开了嘴，就这么长时间地待着，嘴巴大张，双手也大张，左手尽可能地远离着右手。事情真奇妙，当人们仰躺在地上时，人们感到似乎不如俯卧着时更紧地靠着大地，这真是一个奇妙的发现，他简直可以引出一系列丰富的展开。一个小时以前，他曾卷了一次袖子以便牢牢地抓住青草，现在他同样又一次卷了卷衣袖，这一次是为了更好地感觉到雨点捶打在他的手掌上，人们同样也把手掌叫做手心，或者叫做巴掌，这没有准。在他疼痛难受之时——可是，我差点儿忘记说一说头发绺，它们的颜色不妨说是白的吧，这就好比说时间的颜色是黑的，它们在两鬓和后脑处长得不得了。要是在干燥而通气的时刻，它们就将在青草丛中飘扬嬉戏，将像青草一样随风起舞。但是雨水将它粘贴在泥地上，把它和青草及泥土搅拌成了某种泥团团，不是一个泥团团，而是某种泥团团。在他疼痛难受之时，因为人们不能如此长久地停留在这样一种姿态中而不感到别扭，他开始祈愿大雨永远不要结束，他的痛楚或痛苦也永远不要结束，因为几乎可以断定是雨水让他受苦，伸展身子歇个痛快本身并没有任何特别的不适之处，仿佛在受苦的主体与使人受苦的主体之间有一种关系。因为大雨可以停下来，而他却仍然不停地受苦，这就如同他可以停止感到痛苦而大雨却不因此而停住。这重要的半搭子真理，他兴许已然觉察到了。因为，他一面遗憾自己没能够一会儿趴地，一会儿仰天，将余生的全部时间——兴许它已经不会太长久了，实在是幸事——在这沉重的、阴冷的（还未到冰冷刺骨的程度）、垂直落下的雨水下度过，一面又差一点问自己是不是弄错了，自己受苦是不是并不因为这场雨，他的难受实际上是不是有着别的什么原因。因为这不足以让人们受苦，他们还需要炎热和寒冷，需要雨水以及它的对应物晴日，还有爱情、友谊、黑皮肤以及性生活与消化的不足等等，一句话，需要身体（包括头脑）的以及有关范围的种种狂怒与错乱，

121

幸亏它们的数目太多,我们不能一一列举,我问自己这一切意味着什么,比如说,畸形足,他们需要这一切才能够确切地了解那些竟敢阻碍他们的幸福免遭混淆的东西究竟是什么。因为,这正是一件人们很难能忍受不知其然的事情。人们甚至见过一些过分严肃的人,他们若是不能确定自己的肿瘤是长在幽门或是相反长在十二指肠,他们就誓不罢休。不过,对于这一类的飞跃,麦克曼还没有长上翅膀,他甚至是一个生来就只配在地面上移动的造物,他不是为了纯理性而生的,尤其是在我们有幸给他们划定了的范围内。说实在的,从气质而论,他更趋向于爬行类而不是鸟类,他可以忍受严重的伤肢毁形而不丢命,他坐着比站着更舒服,躺着比坐着更自在,他会找任何一个小小的借口躺着不动,坐着不动,只有当生存竞争①或生命的冲动火烧火燎地烧着他的屁股时他才起身重新开步走。即便说不上四分之三的时间,更不用提到五分之四,我们毕竟可以说他生存的相当一部分时间该是在磐石一般的稳固不动之中度过的,在最初的一段时间里表面上一动不动,但他渐渐地获得了我不说是内在的生命,而至少可以说感觉和智力。应该相

---

① 原文为英文"stuggle for life"。

信，他通过他的爸爸和他的妈妈，经过某种巧合，从他众多的祖先身上继承了一套经得起任何考验的植物性神经系统，当然还有别的长处，这使他活到了已有的这把年纪，而现在的年纪与他将活到的年纪相比简直是一个儿戏而已，是我对自己这么说的，没有任何严重的问题，我是说可以当场把他的名字从众多濒死者中间画掉。因为，从来没有任何人来帮助过他，帮他避开布满在他无辜者前进道路上的荆棘与圈套，他从来就是只依靠自己的力量和办法从早上走到晚上，再从晚上走到早上，而不遭受致命的创伤。他尤其没有接受过什么馈赠，除了一些并无多大价值的小玩意儿，丁零当啷作响的硬币，这并不是说，假如他善于依靠自己的满脸汗水或者依靠自己的聪明才智弄到钱的话，会引起严重的后果。但是，当他拿到了一笔佣金，比方说，靠帮人耕种一方块种着胡萝卜的地，或是种着小白萝卜的地，每小时挣三个或者甚至六个便士，这时，他通常会因为心不在焉，或者，在某种我说不上来的疯狂的需要的支配下，把一切都拔出来，他一看到蔬菜，甚至鲜花，就会变得盲目，辨不清自己真正的利益，就会产生一种需要，把他认为不要的东西抛得干干净净，直到在他的一通折腾之后眼前只剩下一点点栗色的泥土为止，他干这些常常是情不自禁。抑或有时，虽不至于扫荡得如此彻底，但一切却在他眼前模糊起来，他不再辨别得清什么是供人和牲畜食用的粮食作物，或美化家庭之用的经济作物，什么是人们所说的一无所用的杂草，农具会从他的手中落下，其实杂草倒也有杂草的用处，比如说，狗牙根草就对狗很有用，连人也会来采一点熬药茶，怪不得大地总是对它们不生偏见。甚至连十分卑贱的扫大街工作他也干得不像个样，他扫过不止一次大街，总是自忖自己兴许是一个连自己都认不清的扫路工。连他自己都不得不承认，哪里有他的扫帚画过，哪里的样子就比他还没有经过时更脏，仿佛有一个魔鬼催着他挥动扫帚，舞动铲子，推动独轮车，等等所有那些由市政管理当局免费提供给他使用的工具，去寻找出于偶然尚未被纳税人发觉的垃圾，并把它们增添到众目睽睽之下的垃圾堆上去，然后行使责任，将它们统统消除掉。在他一天的工作之后，整整一条归他管辖的街道上，从头到尾都可以看到橘子皮、香蕉皮、烟头、废纸、狗屎、马粪，以及其他各种脏物，它们被精心地集中安置在人行道上，或者被殷勤地搬到马路中央的高凸处，看起来好像故意要引起行人的恶心，要最大可能地引来事故，让人滑倒，直至丧命。然而，他是真心诚意地在竭尽全力，他观察并模仿他的更富经验的同事的清扫方法，尽量做得使人满意。但是一切都显示出，他仿佛真的不是自己动作的主人，当他做某事时，他不知道自己在做什么，一旦他完成某事，他又不知道自己干了些什么。必须有人对他说，你瞧瞧你干的，把他的鼻子拧回来，让他少管他人的事，不然，他就不会明白，他还会以为自己干得像任何一个善良正直的人在他的位子上会干的那样，以为自己尽管缺乏经验却还是达到了差不多同样的效果。相反，当他需要为自己做一些小小的手艺活儿时，他真像人们所说的，确实有一手，而且用不着任何工具，比方说当他需要换一个棍棒纽扣时，因为这种扣子大多是用木头做的，而且要经历温带气候的一切严峻考验，一般寿命不会太长。他生命的一大部分，也就是说在他的身体运动多多少少还比较协调的那一半或那四分之一时光的生活中，他经常是灵活自如，巧妙无比地做着这种没有报酬的制作与修补的小手艺活。因为，假如他想继续来来回回地走着，他就得这样，说实在的，他没有别的选择，他只得这样，出于谁知道是什么上帝独自一人的晦涩而又明确的理由，因为说实在的，上帝似乎并不像他的造物那样需要什么理由去行他所行，为他所为。然而，谁知道呢。从某一个角度来看，麦克曼似乎就是这个样，不把一切毁个干净就耕翻不了思想或疑虑的田块，基于这一点，他懂得如何用柳树皮和柳枝条加固他的高帮皮鞋，以便当他嘟嘟囔囔地在地上行走时，脚底板不至于被石块，被荆棘，被人们出于恶意或疏忽扔掉的玻璃片伤得太厉害，因为，他必须这样。因为，他实在不会在走路时小心提防着一点儿，选择好地方一步接一步地落脚（这样的话他就可以光脚走路了）。他也许会知道，即便这样，恐怕对他也无济于事，他实在控制不了自己的动作。当脚总是踏到边上，磕到燧石或陶瓷片上，或者一骨碌踩在大堆的牛粪上，一直陷到膝盖，这时，眼睛老瞄着滑溜溜的、长着苔藓的地方又有什么用。但是，现在为了把问题转向另一方面，我们不妨轻松一下，给予麦克曼一个也许很有趣的祝愿，既然祝愿并不费什么价钱，如果可能的话，就祝愿他全身瘫痪，这样迫使他的胳膊藏在一个尽可能隐蔽的地方，见不到风，见不到雨，见不到声音，见不到冷，见不到七世纪时一般的酷热，也见不到日光，伴随着一两床柔和细软的鸭绒压脚被，和一颗仁慈的心灵，每星期，都要喂食刀削苹果和油蘸沙丁鱼，用来把最终的期限尽可能地推向未来，这将会十分精彩。不过，在等待中翻一下身，让脊背着地，丝毫也减弱不了大雨的暴烈程度。麦克曼后来终于动弹起来，一会儿扑向左面，一会儿扑向右面，仿佛发着高烧那样翻滚不已，一会儿解开扣子，一会儿又扣上扣子，到最后，他顺着一个方向——朝哪个方向并没多大关系——一个接一个地翻起滚来，开始，每翻过一个滚他还稍稍喘息一阵，随后，他就翻滚个不停。从原则上说，他的帽子本该随着他翻滚，因为它是系在大衣上的，细绳子本该缠绕在他的脖子上，但是，事实根本不是这样，因为理论是理论，而现实则是现实，帽子留在了一开始的地方，我是说留在了它原来的位置上，像是一件被抛弃了的东西。不过，也许又会有这么一天，一个刮大风的日子，我们又会看见他，重又变得干燥，轻快，在平原上跑啊，跳啊，一直来到城边或者海边，不过，这都说不定。现在，麦克曼在地上打滚已经不是第一次了，他总是这样做，从来不在脑子里多思考几下。当他远离了当初遭上这场雨，四下里又没有任何遮蔽之处的那个地方，远离了因为他的帽子而显得突出于周围空间的那个地方时，他明白他已经很有规则地，甚至以一种相当的速度前进了不少，很可能是沿着一条巨大的圆弧线，因为他猜想自己身子的一头重于另一头，尽管他不知道究竟是哪一头更重一点，但肯定是有一头要稍稍重一点。在翻滚中，他设定并润色了继续翻滚的计划，只要有必要，他就整夜这样翻滚，或者至少在他尚有力气时，要继续滚下去，他要这样去接近平原的边缘，说实在的，他是不会拖延着不离开这边缘的，他毕竟要离开它，这个他知道。他一面毫不减慢自己的前进速度，一面梦想起一个平坦的地方，在那里他可以再也不需要先站稳一条腿，比方说左腿，再把重心移到右腿来维持平衡，他可以像一个拥有智慧、充满意志的大圆柱体，一下子就径直站起来，并保持直立姿势，他可以走来走去，并以这种游荡方式继续活下去。而且，他并不任凭自己准确无误地走向未来的计划，因为这

快，快，我的那堆东西。安静点，安静点，说两次，我有时间，全部时间，跟往常一样。我的铅笔，我的两支铅笔，一支在我巨大的手指中只剩下了铅芯，完完全全从木杆中脱离了出来，另一支，又长又圆，放在床上的什么地方，那是我留着备用的，我不会去寻找它，我知道它在那儿，假如当我完成时我还有时间，那么我就会去找它，假如我找不到它，我就不会有它了，我就用另一支笔来修改，倘若它还剩下一点点的话。安静点，安静点。我

的笔记本，我已看不见它了，但我感觉到它在我的左手中，我不知道它来自何处，反正我来到这里时还没有它呢，不过，我感觉到它是我的。没错，就是这样，这就好像我已六十岁了那样。床好像也是我的，还有小桌子、盘子、瓷瓶、衣柜、被单。噢不，这一切没有一件是我的。但是，笔记本是我的，我无法解释得了。两支铅笔，笔记本，还有棍子，我来到这里时都还没有，但是我把它们看成属于我的东西。我好像已经描写过它了。我很安静，我有时间，但我将描述得尽可能地少。它就在床上和我在一起，在被单下，记得有一次，我蠢蠢欲动地自言自语道：这是一个小妇人。可是它是那么长，一下子从枕头底下冲了出来，最后滑到背后去了，离我那么远。我继续回忆。夜很黑。我刚刚能看清窗户。它该让黑夜再一次过去。我恐怕还有时间在我的那堆东西里钩上一阵，把它们一件一件地钩到床前来，或者一下子就钩它几件，因为那些被遗弃的东西常常是互相纠缠，混沌一团的，一来来一串，反正我一点儿都看不清。事实上，我兴许确实还有时间来钩，我们就算我有时间吧，但是，我们就此什么都不要做。预料到会有现在这一时刻，我在光线比较明亮的时刻里把一切重读了一遍，检查了一遍，但这肯定是不久前的事。

但是从那以后，我肯定把一切全给忘了。不，不是一切，一个人很少会忘记一切。一枚针戳在两个软木塞之间，以防它刺着我，因为，假如说针头不如针眼刺人厉害，不，这说不通，而假如说针头要比针眼刺人更厉害，那么针眼也照样刺人，这同样也说不通。在两个木塞之间尚可看见的针腰周围，还缠着一小段黑线。这是一件小小的漂亮东西，就像一个——不，它什么都不像。我的烟斗，尽管我从来没有用烟斗抽过烟。我肯定是在什么地方发现它的，当我还能走动的时候，在地上发现的。当时它躲在青草丛中，也许因为没法再用了而被人扔在那里，烟管摔裂了，对，我回想起了这一细节，恰好在烟管穿过烟锅的地方。这烟斗要修还是能修好的，但是，人们似乎会说：得了，我还是另买一个新的吧。只有我，我只发现了烟斗。不过，这一切都只是假设。或许我发现它很漂亮，或许我对它产生了那种惹人讨厌的怜悯感，我经常对一些东西产生怜悯感，尤其是一些木头或石头制作的可拆卸的小玩意，这种情感促使我生出念头把它们留下，永远带在身上，于是，我就把它们捡起来，放在衣服口袋里，我常常一边这么做一边哭，因为在我老年时，我常常莫名其妙地掉眼泪，尽管我经验丰富，又没有在内心的爱怜与激情方面有多大的长进。我外出时偶然碰到的,东一点西一点捡攒起来的小玩意,有时候会让我滋生一种印象,好像它们也十分需要我,要是没有这些小玩意陪伴着我,那么当我接触到那些正直的人们时,或者在某个忏悔的安慰下,我兴许会陷入绝境,走投无路,但我不相信。我记得很清楚,我当时走路时喜欢把双手插在裤兜里,我这是在说我不用棍棒尤其不用拐杖还能行走的时期,那时,我喜欢抚摸在我深深的裤兜里的硬物,这是我与它们对话,让它们宽心的方式。而且,我睡觉时也喜欢手里拿一块石子,一个印度栗子,一个松果,当我醒来时,它们仍在我的手中,在我弯着的手指头中间,尽管睡眠使我的身体成了皱皱巴巴的一块破布。那些被我玩腻了的小玩意,还有那些被另一些更讨我喜欢的玩意所替代的小玩意,我就扔掉,就是说,我久久地寻找一处它们能永远安安静静地待着的地方,一处任何人都看不见——除非出于一个异乎寻常的偶然机会——的地方,这样的地方实在稀少,我就小心翼翼地把它们放在那儿。有时候,我埋葬它们,或者我把它们扔到海里,那些个我确信不会浮起来,哪怕一会儿工夫也不会浮起来的,我使尽全力,把它们远远地扔进海里。甚至连我的木制的伙伴,我也打发一部分进了海洋,把它们和石头拴在一起扔。不过,我明白,不应该这样做。因为一旦细绳腐烂,只要木头和石头还没有蚀成一个整体,木头仍然会浮出水面,而且或迟或早它们仍然会回到陆地上来。对于那些因我有了新宠而不能够再留在身边的爱物,我就是这样处理的。我经常遗憾万分。但是,我把它们埋藏得那么好,连我自己都不再找得到它们。就这样,像是必须做的,仿佛我还有时间可以打发。再说,情况正是如此,我知道得一清二楚。那么为什么不要优柔寡断呢?我不知道。也许这确实紧迫。刚才我突然有了这样一种感受。然而,这只是我的感受。假如我一心只想要这个,只想回忆起我曾有过的一切东西中所剩下的一切呢?少说也有十多件吧?假如,假如,不能假如,而绝对必须。那么,这是另一回事了。我说到哪儿了?我的烟斗。我从来没有把它扔掉过。它被我用作盛器,我在那里面放过不少东西,我真难相信我竟可以在这么小的空间里放东西,我甚至还为它做了一个白铁皮盖子。接着下一个。这个可怜的麦克曼。很明显,我恐怕不会有闲暇完成任何东西,除了还会呼吸。不应该太贪吃,但人们就是这样才憋不过气来的吗?必须相信,而这喘息,能拿它做什么。也许,这毕竟不是什么严峻的事。啼哭了,但以后,却不会嘶哑着声音喘息。生活真可以让人感到抗议的味道。让我们开始吧，这是一个细节。我问自己什么是我最后写下来的话，其他的都飞跑了，没有留下来。我永远也不会知道了。这一份清单也是，我将完不成它，一只小鸟对我说过它，也许是显灵，以鹦鹉的名义。但愿如此。无论怎样，一记大头棍，我无能为力，必须说出是什么，而不寻求理解，一直到头。有些时候，我觉得自己很久很久以来就一直在这里，甚至也许是生在这里。这样就可以解释很多事情。或者，是在经过一段长时期的离开之后又回到这里。但是感觉没有了，假设也没有了。这根大头棍是我的，就这样，再没有什么可说的了。它沾上了血，然而远远不足，远远不够。我自卫得不成功，但我毕竟自卫了。这便是我有时候对自己说的话。一只高帮的鞋子，最初是黄颜色的，我不知道是穿哪只脚的，可能是左脚，我起身用的那一只脚。另一只鞋跑了。他们在一开始就把它从我身边拿走了，那时他们还不知道我已经不能够动弹了。他们给我留下了另一只，是希望我在看到孤单的一只鞋时会有一点悲伤。人总是这样的。或许它会在大柜上面。确实，我用我的棍子把它寻了一个够，但是我忘了大柜的顶上。既然后来我再也没有寻找过它，大柜上面也好，其他地方也好，既没找它，也没找别的东西，它就再也不是我的了。因为只有那些我明白它们确切位置的东西才是属于我的，这样在必要时，我可以够到它们，这是我为自己制定的定义，以确定什么是我的拥有物，不然，我真会没完没了的了，然而，我无论如何也算是会没完没了的了。它不太像——不过，我这样说也许错了——我一直有的那只，黄的那只，它有一点是很特殊的，那就是扣眼数目的众多，我还从来没见过一只鞋有那么多的扣眼，其中绝大多数都没有用，原来的洞洞都变成了缝缝。所有这些东西都乱七八糟地一起堆在墙角里。即使在黑暗中，我也能把它们够到，我只要想够就可以够到。我摸索着将它们一一定位，信号顺着我的棍子汇流到我手中，我钩住想要的东西，把它一直拨到床脚，我听到它滑过地板一直滑到或跳到我跟前，距离越来越近，价值越来越不贵。我把它钩上床，注意着不碰上窗户，不碰上天花板，最后，把它拿在手中。假如，这是我的帽子，我或许就会把它戴在头上，这将使我回忆起美好的往昔时光，尽管对它我还存有足够的记忆。它已经没有了边檐，它就像一口圆顶的铸钟。要把它戴上或摘下，就得用手紧紧地抓住使劲推。这也许是唯一一件尚且属于我的，而我也还能回忆起其历史来的东西，我是说从它开始成为我的所属物那一刻以后的历史。我知道它是在什么情况下失去边檐的，我在场。那是为了能让我在睡觉时也能戴着它。我愿人们把它和我埋葬在一起，这是一种无伤大雅的任性，但是怎么办呢？记住：把它戴上以防万一，戴得紧紧的，不然就会太晚了。不过，凡事各有各的时间。我问自己是不是还应该继续下去。我感到，我兴许把一些我已不再有的东西仍算作为我所有，同时我又把一些并未消失的算作消失了，最后还有一些，在那边的角落里，我把它们看成第三类属物，对于这一类，我真是一点儿都不明白，这样谈起它们来，我恐怕是既不会弄错也不会有理，反正什么都用不着担心。我还对自己说，自从最后一次检查我的那堆东西以来，在巴特桥下已经流过了水，流过来又流过去。因为，我在这个房间里已经死了个够，足以明白，有些东西出去了，又有些东西回来了，一切都出于我不知晓的理由。在那些出去了的东西里，经过一段或长或短的缺席期又有回来的，而另一些则永远也没有回来。这样，在归来的那些东西里，有一些是我熟悉的，另一些则不然。我不明白。而且，更有奇者，有整整一系列东西，表面上看来没有任何共同特点，自从我到这里以后，就从来没有离开过，但它们乖乖地待在它们的位置上，在角落里，如同在任何一个无人居住的房间里。或者，那时它们快速地做了什么。这一切响动听来是多么虚假啊。但是，没有任何东西告诉我事情会永远如此。对我的拥有物多变的面貌我不能做出别样的解释。但事情也不尽然。严格地讲起来，我是不可能依照我自己的定义知道什么是我的，什么不是我的。那么，我就要问自己，我是不是应该继续下去，列出一份可能只会与现实情况大相径庭的清单，我是不是立即脱身为好，转身于另一种消遣活动是不是不会导致如此严重的后果，或者我是不是干脆什么都不干，干巴巴地光等着，再不然，我是不是可以数着一、二、三，一直数下去，这样最终还不至于自己损害自己什么。这就是所谓的谨小慎微。假如我有一个便士，我就让它来做决定。确切地说，黑夜虽漫长，但要让它给人建议它就短得可怜了①。要是我一直坚持到黎明呢？归根到底。好主意，绝妙的好主意。假如黎明到来时我仍然活着的话，我就考虑。我困了。但我不敢睡着。无论如何，最后的，最最最最后的更正总是可能

---

① 法国谚语曰："黑夜给人以建议。"（La nuit porte conseil）意为遇到问题不要太急于回答，睡觉前好好地想一想，是可以想出好办法的。

的。但是，我难道不是刚刚耗尽了最后一滴油吗？快，马龙，你不会重新开始了。假如我让我的一切拥有物原封不动地都来到床上，和我待在一起呢？这样会有什么用吗？我猜不会的。但我兴许会这样做的。我总是有着这一办法。当我看得更加清楚时。那时，我将把它们统统搬到我的周围，在我身上，在我身下，在我边上，我将处于我的拥有物的中央，墙角里将不再有什么东西，一切都将在床上，和我在一起。我将捏着我的照片，拽着我的石头，不让它们跑了。我将戴上我的帽子。我的嘴里也许将含有什么东西，也许是我的白纸，也许是我的扣子，我将睡在别的宝贝上。我的照片。这不是一张拍我的照片，但我也许离之不远。这是一头驴，拍的是正面近照，它在大海边，这不是大海，但对我而言，这是大海。人们自然试图让它抬起头来，好让它美丽的眼睛印在胶卷上，但它却总是低着头。人们从它的耳朵可以看出它不太高兴。它的脑袋上戴了一顶又扁又平的窄边草帽。细长的腿平行而立，硬邦邦的，小小的蹄子与沙滩平齐。背景十分模糊，那是摄影师一笑照相机抖了。海洋看起来那么不自然，仿佛是在摄影棚里。不过，我恐怕不应该说相反的话。比方说，已经不再有任何服装的痕迹，除了那只鞋、那顶帽子和三只袜子,我数过了。我的衣服都到哪里去了,我的长外套,我的裤子,还有奎因先生送我的,他说他已不再需要的那件法兰绒衣服?人们也许把它们给烧了。但是,这不涉及我已不再有的东西,不管人们怎么说,这一切在这样一个时刻实在不算什么。再说,我想我马上就将停了。我曾经把最好的留在最后,但现在我自己感觉不太好,也许我要去了,但这会让我吃惊。这是一阵暂时的虚脱,所有的人都知道这个。人们发作一会儿,然后就过去了,力量重新回来,人们又重新开始。这很可能就是发生在我身上的情况。我打哈欠,假如这一切当真,我还会打哈欠吗?为什么不。假如还剩有一点菜羹,我似乎会很自愿地喝上一些。不,即使剩有菜羹,我也不会去喝的。不。人们已有好几天没有给我更换菜羹了,这个我已经说过了吗?我好像已经说过了。我无谓地把桌子推到门边,再把它拉回来,把它推来推去,希望它滑动的声音能被管事的人听到,能被他正确地理解,希望他没给我送吃的只是一次偶尔的遗忘,但没用,盘子始终是空的。尿罐则相反,始终是满的,另一个也慢慢地装满了。万一我把它也装满了,我就将把两个都倒在地板上,不过,这好像没有多大的可能。再也不吃任何东西,我就减少了中毒的机会,而且我的排泄也就少多了。尿罐似乎不是我的，我只是有享用权。它们确实进入了我所定义的属我之物的范围，但它们不是我的。也许定义是错误的。它们每一个都有两个面对面的把手，超过罐口的高度，这使得我能用棍子插进去搬动它们，把它们提起来，把它们放下去。一切都已预料到了。要不，这就是一次幸运的巧合。到了万不得已的时候，我也会不费什么力气就把它们掀翻，等着它们倒空为止。说说我的尿罐倒使我恢复了一点精力。它们不是我的，但是我还是说，我的尿罐，这就如同我说我的床，我的窗，如同我说我自己。我恐怕不会停止了。是我的那堆东西使我变得衰弱无力，支撑不住，要是我再列举它们的名字，我将会再次昏厥过去，因为相同的原因会导致相同的结果。我本想讲一讲我的自行车铃盖，我的半根拐杖，带横把的那一半，人们简直会说它是一柄娃娃的拐杖。我仍然可以讲的，究竟是什么在妨碍我，我不知道，我不能够。要说的是，在成功地与饥饿做了一生一世的斗争之后，我也许会死于饥饿，更确切地说，死于营养不足。我不能相信。对于残废的老人，人们给予食物，一直到底。当他们不再能吞咽时，人们往他们的食道里插管子，不然就在直肠里插管子，给他们灌含各种营养元素的粥汤，为了不在手上送出一条人命来。那么,我将死于纯纯粹粹的衰老,临终之前吃得饱饱的,肚子填得满满的,好像在大洪水冲来之前那样。也许他们以为我死了。或者,他们自己死了。我说他们,尽管实际上我对此内幕也是一无所知。一开始,但这能说是在一开始吗,我发现了一个老年女子,随后在一段时间里,一条黄颜色的老胳膊,但是,这一切很可能只是在执行某财团的命令。有时候周围是那么寂静,似乎大地上根本就没有居民。这就是产生出人类普遍之爱的情景。一个人只消在自己的洞里待上几天,听不见任何别的声音,只有万物生长的近乎无声的细柔之声,他就会开始以为自己成了地球上的最后一个人。要是我叫喊呢?我这不是想提醒别人对我的注意,而只是想知道是不是还有人在。但是我不喜爱叫喊。我说话文文静静,我走路文文静静,一向如此,仿佛这于一个既没有什么话要说,又不知道走向何处去的人十分适宜。因为,在这种生存条件下,最好还是不要太引人注目。这还没有考虑到以下情况,很可能在一百步为半径的地界内没有一个人,百步之外的人口却稠密到摩肩接踵的地步。人们不敢靠近。在这种情况下,我就是声嘶力竭地喊破肺也没有一丁点儿用。不过我仍然要试一试。我试了。我没听见任何异常的东西。不,有一种热辣辣的吱溜溜的声音从沟底传来,就像人泛胃酸时那样。通过训练,我最终也许可以让人们听到一种呻吟声。最好还是睡觉。不幸的是,我的睡意全消失了。再说,我不该再睡了。真没劲。我失去了机会。我是不是说过,我只是讲了在我脑际闪过的事情中的很小一部分?我好像说过这话。我选择那些似乎体现了它们之间某种关系的事情。这并不总是容易的。我希望它们是最最重要的。我问自己我是不是可以停下来了。假如我扔出我的宝藏,我便永远不能将它们追回。我很可能会遗恨万分。我的小小的宝库。这是一种冒险,眼前我可不打算去担这个风险。那么怎么办呢?我问自己我是不是可以用我的棍子像用挠钩那样把床推动。我的床很可能是装着滑轮的,许多床都这样。真是不可思议,自打我搬到这儿来以后,我居然从来没问过这个问题。也许我可以引导它一直穿门而出,因为它是那么窄,甚至可以让它下楼梯,假如有一段可以下得去的楼梯的话。出走。在某种意义上,黑暗对我不利。不过,我总可以试图弄明白,床是不是可以移动。只消拿棍子顶住墙使劲推压就成。假如行得通,我就已经看到自己正在房间里绕小圈子,同时等着天更亮一些时再尝试我的历险。至少在这段时间里,我不再对自己说谎话。然后,谁知道呢,体力上的耗费兴许会让我的心脏停止跳动,使我得到一个善终。

我把我的棍子丢了。这是那个白天中的显要事件,因为那时天又亮了。床一动也没有动。在黑暗中我肯定是选错了支点。然而,一切仍都存在,阿基米德说得对。棍子滑落的时候我若是不放手,它一定会把我带下床去的。自然,我本该不放手,哪怕任自己从床上掉下来,这总比失去棍子好得多。但是,我根本就没时间来考虑。惧怕坠落的心理催生了这一愚行。真是一个灾难。重温它,反思它,从中得出教训,这恐怕是眼下我能做的事了。正是这种方法决定了人类与灵长类动物的区别,促使人类不断地从一个发现走向另一个发现,越来越高地接近光明。现在没有了棍子,我才更加意识到它对我曾是什么,它对我曾代表了什么。从这些想法中,我得出了一种摆脱了一切偶然事件的对棍子的理解,它艰难地从我的心中升腾起来,我从未怀疑过它。我的意识突然一下子奇怪地进入了一个更宽广的空间。在这刚刚降临到我头顶的真正的灾难之中,我差不多要把一件坏事看成了好事。这倒是够安慰人的。可在古老意义上,这无疑仍是一个灾难。在熔岩层下,冷冷地像花岗岩那样地待着,正是在那儿，人们看清了为取暖而烧的是些什么木头。知道了下一次能够做得更好，但事实真是令人难以接受，没有下一次了，没有下一次还真是机会，这里头有的是可享受的。够享受一阵子的。我以为抓到了这把长柄掸帚的大部分，就像猴子一边搔痒痒，一边拿到了开笼子的钥匙。再说，这是最应该做的事。因为现在很显然，假如我以一种聪明的方式舞动小棍子，我也许可以从床上下来，甚至等我爬够了，在地上或在楼梯里滚够了，可以再次返回床上去。这或许可以为我的肢体解体过程引入一些有趣的变化。我怎么竟然没有想到呢？确实，我从来没有打算离开我的床。但是聪明人就可以对他认为无力达到的事情不产生任何渴望吗？我不明白。聪明人也许不。但我呢？天又亮了，反正这儿变得很亮了。我可能在一阵短暂的胆怯危机之后睡着了，好长时间以来没有这样了。胆怯又有什么用，有一个强盗逃走了，这可是一个漂亮的百分比。我看到棍子躺在地上，离床不远。也就是说，我看到它的一部分，像人们看到的一切那样。这就仿佛它处在赤道上。不，不完全是，因为我也许会找到办法把它拿到手，我毕竟是那么有才华。一切尚未无可挽救地彻底失去。这会儿，要是我的记忆没错的话，照我的意思就没有什么东西是属于我的了，除非算上我的记事本，我的宝库和法国铅笔，当然，这就需要假设它确实存在。我确实停止了列我的清单，我很受启发。我感到自己不那么虚弱了，也许在我睡着时，有人喂我东西吃了。我也见到了尿罐，还没有满的那只，我再也够不到它了。看来我只能被迫在床上方便了，像我很小时那样。至少，我不会遭人责备。然而，谈我谈得够多了。有人会说，没有了棍子会使我轻松。我有了一个试图重新得到它的主意。我刚刚想到了一件事。假如它们剥夺我菜羹的目的是加速我的死亡呢？这样判断人实在也太快了。但是，在这种情况下，为什么又在我睡着时喂我吃的呢？但是，这并不确实。但是，假如他们想让我早点儿死掉，更明智的做法不是给我有毒的菜羹喝，给许许多多有毒的菜羹喝吗？也许他们害怕尸体解剖。这些人想得很远，这是显而易见的。这使我想起来，在我的那堆东西里有一只没有标签的药瓶，里面有几片药。泻剂？镇静剂？我是想不起来了。向它们要安静，而只获得腹泻，这就太叫人难堪了。再者，问题并没有提出。我镇静，但还不够，我还缺少那么一点点镇静。好了，谈我谈得够多了。我要来看看，我那重新把我的棍子拿到手的想法到底怎样。事实是我肯定已十分虚弱了。假如这想法可行，我就会试着爬下床去开始干。不然，我就不知道我将干些什么。也许去看看麦克曼变成什么样了。我总是有这一着。为什么如此需要活动？我变得神经质。

一天，根据他的外表来判断，这是很久以后的一天，麦克曼又一次清醒过来，在一家精神病院中。身陷其中，一开始他却没有明白这是一家精神病院，然而，自从他有可能接了一个电话之后，有人就告诉他这一点了。有人确实对他说了大致如下的一段话：这儿，你是在天主的圣约翰医院，你的号码是一百七十六号。什么都别怕，你是在朋友们中间。你们得明白这一点！你什么都不要管了，从今往后由我们来替你操心替你做。我们喜欢这个。别感谢我们。除了维持你生命，甚至维持你健康的食物之外，每星期六，感谢我们老板的仁慈之心，你还可以拿到足足半品脱的上等黑啤酒和一块嚼烟。随之而来的是关于自身权利与责任的教育，因为人们还承认他有某些权利，尽管他本人是别人仁慈的对象。被这一连串的你你你的随意称呼惊得目瞪口呆①，向来从未享受

---

① 在法语中，一般对长者、尊者以及陌生人都用"您"（vous）；而在家人、朋友、同学之间，一般就用"你"（tu）相称，在无礼或骂人时也直接用"你"。

过慈悲布施的麦克曼一下子竟没有明白过来这些话都是对他说的。他所在的房间或者说号房里，挤满了身穿白衣服的男男女女。他们团团围在他的床边，挤得严严实实，站在第二排的人踮起脚尖伸长脖子以期看个仔细。那个正在讲话的自然是个男人，年龄正处于青年与壮年之间，脸上显露出半是温和半是威严的表情，他长着一大把好似皮上患了疥疮的大胡子，这或许只是为了使他更像那位耶稣基督。说真的，与其说他是在即兴演讲，还不如说他是在念，或者在朗诵，这从他手中拿着的纸上就可以看出来，因为他时不时很严肃地往纸片上瞟那么一两眼。最后他把这张纸交给了麦克曼，同时递过去一杆他刚刚用嘴舔了舔笔尖的不褪色铅笔，请他在纸上签字，并明确地说，这纯粹是履行手续。麦克曼听从了，不知道他是因为害怕若是拒绝会被惩罚，还是因为他不明白事情的严重程度，当他签完字后，那人就拿过纸片，仔细看了看后说：麦克什么来着？这时候，传来一个女人的声音，嗓音特别特别尖，令人很不舒服，她说：曼，他叫麦克曼。这个女人站在麦克曼的身后，两手扶着床栏杆，但他看不到她。您是谁？大胡子问。有人回答：她是摩尔呀，瞧瞧，她名叫摩尔。大胡子转身朝向刚才说话的那人，盯着他看了一会儿，然后低下眼睛。当然,当然,他说,我是病人。沉默了一会儿,他又补充说,真是个漂亮名字,人们实在弄不清楚这一声称赞到底是说摩尔这个名字漂亮,还是麦克曼这个名字漂亮。别挤啊,见鬼!他愤愤地说。随后,他突然转过身来,叫嚷起来:你们都瞎挤什么!房间里的人确实越挤越紧,不知从哪儿拥来了许多新的好奇者。我看我自己还是走吧,大胡子说。于是,大家伙也一哄而散,每个人都争先恐后地朝外走,推推搡搡,乱成一团,只有摩尔留在原地一动不动。但是,等所有人都走出病房后,她走到门前,关上门,然后又走回来坐在床边的一张椅子上。这是一个小个子老妇人,脸蛋和身材都没有一丝风韵,粗俗至极。看来她是被叫来在引人注意的事件中扮演某一种角色,那些事件将——我希望——允许我做出最后的结论。她又细又黄的胳膊因为骨骼的畸形而显得弯弯扭扭,她又厚又肥的嘴唇好像吃去了脸上一半的肉,是她身上最最令人生厌的地方(乍一看来是如此)。在该戴耳环的地方,她挂上了两个长长的象牙十字架,脑袋稍稍一动便狂乱地摇动不已。

我打断我自己,想强调一下,我感到自己处在某种奇特的状态中。这也许是谵妄。

麦克曼似乎觉得这个人是指派来保护他伺候他的。完全正确。上司确实规定，一百七十六号归摩尔管。再说，她也曾经根据规定提出过要求。她为他端来吃的（一天一个大菜，一开始吃时是热的，然后就凉了），每天早晚为他清倒夜壶，教他洗漱，每天洗脸洗手，在每星期的各天里，依次清洗身体的其他部位，星期一洗脚，星期二洗小腿一直到膝盖，星期三大腿，依次类推，一直到星期日洗到脖子和耳朵，不，星期日他休息。她时常扫地，收拾床铺，仿佛带着极大的快乐揩擦着唯一一扇窗子上凹凸不平的玻璃，把它擦得闪闪发亮，可惜窗子总是关着。每当麦克曼做着什么事时，她就告诉他这件事是该做还是不该做，同样，每当他懒洋洋地一动不动时，她也告诉他是不是有权利这样。我们可以说她整日里就待在他的身边吗？不，她无疑还有别的病人要照顾，还有别的命令要执行。但是，在开始的那段时间里，她尽量做到少离开他，甚至在夜里都陪伴他一会儿，期待他能养成习惯，以适应他尚陌生的幸福生活。她的心地善良，十分理解他人，这一点在以下的小故事中体现得淋漓尽致。在麦克曼被接纳进来不久后的一天，他意识到，自己穿着的不是原来的那套衣服，而是一件又长又宽的粗布衬衣,兴许还是棕粗呢料的呢。他立即大叫大喊起来,要找回自己的衣服,可能还包括他衣服兜里装的那些小玩意。因为他大叫道:我的东西!我的东西!叫了好几声,一边叫,一边在床上晃荡,还用大张着十指的双手使劲拍打着被单。摩尔那时候坐在床沿,用一只手摁住麦克曼的一只手,另一只手放在额头上,他的额头还是她的额头,对,他的。她显得那么矮小,她的脚都够不到地板。见麦克曼稍稍镇静了些,她就对他说他的衣服肯定已经不存在,因此无法还给他了,至于那些从衣服中掏出来的小东西,它们都被当作没有任何价值的废物,只配扔掉,除了一个小小的银制餐刀架,这个人们还替他保留着。谁知这一番辩说竟把麦克曼掷入一次严重的发作中,她不得不赶紧赔着笑脸补充说,不应该把这当作真事,这只是个玩笑,事实上,他的衣服都已经洗得干干净净,熨得平平整整,缝补好,折叠好,放进了一只有樟脑丸的盒子里,盒子上写着他的姓名和号码,置放在一个极可靠的地方,就如同它们存放到了英格兰银行那般保险。但是,麦克曼仍然一个劲儿地要着他的衣物,好像对她刚刚告诉他的话儿一句都没有弄懂,这时,她就不得不申明纪律,条例规定,在结束住院治疗之前,任何情况下都不允许住院者接触他无家可归时的私人包裹。但是，麦克曼仍然声嘶力竭地叫着要他的衣物，尤其要他的帽子，于是她就离开了他，一边抱怨着他真不讲道理。一会儿工夫之后，她又出现了，手指间拎着那顶帽子，她也许在蔬菜园角落的垃圾堆里寻找了好一阵子才找到了它，因为了解一切需要太多的时间，因为这帽子早已破烂不堪，边上都沾上了肥料。尤其让她难受的是，他戴上了帽子，她还帮他戴上它，帮他坐起来，帮他调整枕头好让他这么坐着不感到太累。她满怀柔情地注视着这张惊愕不已的老脸，好在它已经开始渐渐恢复了平静，在一大丛乱毛之中，他的嘴巴咧出一丝微笑，小小的红眼睛羞涩地转向她，一脸表情似乎想向她表达谢意，或者他是想转向失而复得的帽子，一双手向上伸去把它扶正了，然后又颤巍巍地放下来搁在被单上。最后，他们交换了一道长长的目光，摩尔的嘴巴咧开了，鼓起了，送上一丝吓人的微笑，这使得麦克曼眨了眨眼睛，仿佛一头牲畜在主人目光的注视之下禁不住眨巴眼睛，最后他的眼睛调转目光投向他处。小故事结束。这应该是在平原上丢弃的那顶帽子，它是多么像它呀，算上新添的磨损就更像了。尽管在身体上与精神上有着极大的相似，但谁知道在经历了多年可能的变化后，这会不会碰巧是同一个麦克曼呢？在岛上叫麦克曼的人多着呢，此外，对绝大多数人来说，他们都最终自豪地跳出了同一个著名的蠢人圈。时不时地，他们彼此十分相像，以至于在那些只想为他们好的人的头脑中他们都混淆在一起了，一旦能够出发走出蠢人圈，他们将真诚地感到幸福无比。再说，肉体上与意识上的任何一种奇迹都是大事，没有必要跟踪什么人。既然他还是人们所说的一个活人，那就不会有什么错的，这是有罪的人。很长时间中，他躺在床上一动不动，根本就弄不清楚他是否还能够再走路，甚至是否能站起来，并担心他已处在麻烦之中，猜想他很可能十分麻烦，他可能会处在上司给他带来的麻烦之中。先让我们看一看麦克曼在天主的圣约翰医院的第一阶段生活。如有必要，我们将随后转向第二阶段，甚至第三阶段。

有许许多多的小玩意要列举，鉴于我的处境，我若是能准确无误地把它们一一介绍出来，那将是十分奇妙的。但是，我的清单会有一种不适宜的倾向，我终于意识到了，这种倾向会让所有那些被认为应该消失的东西消失得干干净净。于是，我猛然调转马头，背离这一奇特的热情——这里只为提到它而已——这股子热情已经攫取了我生命机体的某些部分，我不说是哪些部分。换另一个人，就没有什么重要性。要说的是，我本预料有一次冷却！

这第一阶段，床上阶段，是以麦克曼和他的女看护人之间关系的演变为特征的。他们之间慢慢地建立起一种亲密关系，它引导他们终于在某一时刻一起上床睡觉并尽他们所能地性交。鉴于年龄和性爱经验的不足，他们自然不能在一开始便成功地感受到彼此十分匹配，是天造地设的一对。人们看到，那时候麦克曼使尽吃奶力气把自己的性器官插到对方的性器官中去，那方法就像把一个枕头塞到枕套里去，他把它折成两截，用手指头摁着，往里头塞。但是，他们一点儿也不灰心丧气，反而有一股不达目的誓不罢休的劲头，尽管两人都处于萎靡无力的状态，他们最终还是在干枯、虚弱的性爱中觅到了欢乐，皮肤、黏膜和想象力的一切源泉都被召唤起来，迸发出一丝肉欲的昏暗之光。两人中感情更为外露（在这个时期）的摩尔情不自禁地叫唤起来：我们怎么不在六十年前就相会呢！但是，在达到这一点之前，有多少故作风雅的殷勤话，多少提心吊胆的恐惧，多少担惊受怕的触摸，重要的只是把这个留住，它们让麦克曼窥视到了所谓的两人相处意味着什么。于是，他在话语练习中取得了毋庸置疑的进步，在短短的时间中学会了恰到好处地运用诸如是的、不对、还要、够了等维持友谊关系的词语。由于这同一机会，他进入了美妙的阅读世界之中，因为摩尔给他写了一些充满热情火焰的信，并亲自把它们交到他手里。对曾在学校待过的人来说，学校的回忆是那么根深蒂固，他很快就可以不需要他通信者的解释而独自理解其中的一切，他伸直胳膊，拿着信伸得不能再长，让信与眼睛离得不能再远。当他念信时，摩尔就待在稍稍离他几步的地方，低下眼睛，默默地自语道：他正读到那……那……那就这样待着，一直到信纸塞回到信封的声音使她明白他念完了。这时，她就急匆匆地转向他，不失时机地看他把信拿到嘴边吻一吻，或者把它贴紧在胸口，又是一个四年级的回忆。然后，他把信交还给她，她便把它放到枕头底下，跟已经放在那儿的其他信待在一块，一封封信都按日期排列，拿一根狭长的缎带系在一起。这些信从内容上和形式上都没什么变化，这对麦克曼来说，极大地方便了阅读，简化了事情。举例说吧。亲爱的，我没有一天不俯跪着感谢上帝让我在死以前找到了你。因为我们俩不久都将死去，这是不言自明的事，但愿这发生在相同的一刻，这就是我祈求的一切。此外我有药店的钥匙。但我们还是先好好地欣赏一下美妙无比的夕阳吧,在一整天的暴风雨之后,这真是一个出人意料的黄昏!你不也是这个意思吗?亲爱的!我们怎么不在七十年前就相会呢!不,一切都是完美之至,我们将没有时间去学会怎样相互憎恨,去看到我们的青春岁月流逝一去不复返,去在恶心中回忆往昔的沉醉,去在任何第三者的家中——人人为自己——寻找我们已经不能一起做的事,总之一句话,我们将没有时间去相互熟悉。事情是什么样就该看它们是什么样,不是吗,我的乖乖?当你把我搂在你的怀中,我也搂你在我怀中时,这显然不是什么大事情,比起青春岁月甚至成年时代的狂热来,简直算不了什么。但是,一切都是相对的,我们必须这样对自己说,公鹿与母鹿都有它们的需要,我们也有我们的需要。你竟然那么顺利地成功了,真叫人吃惊,我是不行啦,想来你一定活得很有节制,很贞洁!我也是,你一定也发现了。再想想吧,肉体并不是一切,尤其在我们这把年纪,还是去寻找那些用他们的眼睛就能做出我们用我们的眼睛能做的事的情人吧,这些常常很难一直睁着的眼睛将很快就能看到一切,除了他们的眼睛,还有他们已被剥夺了欲念的柔情,当我的工作使我们被迫分离时,我们每日里依靠这唯一的办法还能实现的那些事，他们靠柔情就能完成。既然我们已到了无话不说的地步，你要考虑另一个问题，我长得从来就不算漂亮，也不算健壮，可以说既丑陋不堪又几乎残废，这方面的证明就不一一提及了。爸爸显然对我说过，我生来就像一只丑猴，我记住了这句话。至于你，我的爱，当你风华正茂，引得美人们的心儿怦怦跳动时，你有没有汇集别的条件？我怀疑。但在走向衰老时，我们只不过变得比那些体态最匀称的同代人稍稍难看一些而已，而你，尤其是你，你还有头发。尽管从来没有尝试过，尽管一点儿也不懂，依我看来，我们似乎不是没有新鲜味，没有纯洁性。结论，对我们来说，这正是爱情的季节，让我们好好地享用吧，有的梨子只是到十二月份才成熟的。至于有什么手续要履行，你就把它交给我吧，你瞧着，我们将要干出惊世骇俗的举动。讲到头冲脚脚冲头的姿势，我不同意你的观点。我认为一定要坚持下去。你就听其自然吧，你会对我讲新鲜事儿的。放荡鬼，去吧！是所有那些骨头在妨碍着我们，这是明白无误的。最后，我们是怎么样就把我们看成什么样吧。尤其是不要垂头丧气，这只不过是玩耍而已。想想那些在黑暗中倦意缠绵、交股叠臂的时刻，我们的心在结合中操劳，我们听到对风儿诉说什么是寒冬深夜的荒野，什么是成为我们曾经有过的样子，让我们紧紧搂抱在一起，共同沦入一种无名的苦难中去。这就是必须看到的。鼓起勇气来，我如此疼爱的老胡子娃娃，凡在你猜对了你那喝醉了的洋娃娃所在的地方，她都要给你深深的吻。又及：我订了牡蛎，我满怀希望。这就是摩尔对麦克曼表达爱情时稍稍有些东拉西扯的语调，她或许有些绝望，以为不能通过正常渠道让自己的感情尽情发泄，她每星期给麦克曼写三四次的就是这一类信，麦克曼从不回信，我是说从来没有白纸黑字地回信，但他总是以力所能及的方式尽量表现自己收到情书时的高兴劲儿。但是，在这田园牧歌的结尾，也就是稍稍往后些，当情书变得越来越少时，正是在此时，麦克曼聚集起他所有词汇的一切力量，开始创作一些奇妙地押了韵的短文，献给他的女朋友，因为他感觉到她从他手中溜走了。例子。

> 喝醉了的洋娃娃和娃娃老头
> 是爱情的箭射在了我们的心口
> 生命长河已流到了尽头
> 它确实并不总是欢乐无愁
> 真的

并不总是欢乐无愁。

另一个例子。

> 是爱情的红线引导我们向前
> 手拉着手走向格拉斯纳凡①
> 这一条道路最美丽辉煌
> 我这样想你也这样想
> 对了没错
> 我们都是这样想。

他有时间写了十几篇这类质量的东西,一无例外地强调了爱情的重要性,如同在神秘的诗文中经常可以读到的那样,爱情被当成是一种致命的黏合剂。出人意料的是,麦克曼竟能在如此短的时间内,把自己提升到这样高超的构思,尤其因为在一开始他曾是那么挑肥拣瘦。人们不仅遐想联翩,假如他能在稍稍年轻时就对性生活有一种真正的了解,谁知道他会做出一些什么事来呢。

我搞糊涂了。没有一个词。

一开始确实挑肥拣瘦地爱找碴儿,说实在

---

① 这是当地一处十分著名的墓地的名字。——原注

的，摩尔引起他的厌恶。她的嘴唇尤其令他胆战心惊，一见到这两片东西，他就不仅闭上眼睛，而且还要伸出双手在眼前挡着，好像唯有这样他才稍稍心安，而同样是这一双嘴唇，几个月以后，他就把它们当作蜜糖似的鲜物，快活地嘟囔着吮吻个不停。那时节，是她不遗余力地消耗着热情，这一点似乎可以用来解释为什么到后来她反而没了劲，反倒需要再鼓勇气。除非这只是简单的健康问题。当然这并不排斥另一种假设，即摩尔从某一时刻起认识到自己错误地估计了麦克曼的价值，最终看清了他并不是她原先认为的那种人，她便想让他俩的交往慢慢地收场，慢慢地，以免引起他的惊慌。不幸的是，这里的问题并不在摩尔，她只不过是一个雌儿而已，而在于麦克曼，问题也不在于他俩关系的结尾，而在两人关系的一开始。至于在这两个漫长的顶端之间内涵丰富的简短阶段，也不是我们这里的问题，那时，在一个人的热情上升而另一个人的热情已稍稍有些下降之时，两人之间维持了热度上一种转瞬即逝的平衡。因为，假如需要拥有什么东西来证明过去没有拥有过，将来也不会再拥有，那就没有什么能迫使人们来炫耀了。但是，我们还是让事实说话吧。差不多就是这个调子。例子。有一天，那时节麦克曼已经习惯被她爱，尽管他还没有像后来所做的那样给她以回答，那天，他将自己的脸避开了摩尔的脸，借口说想仔细看看她戴的是什么样的耳环。但是，等她稍作打扮戴上耳环回来后，他却又拦住她，莫名其妙地问她：为什么两个耶稣？一脸的神气似乎在说，一个就已足够了。对此，摩尔回答得也很荒诞：为什么两个耳朵？但是，一会儿工夫后，她就让他原谅了她，她微笑着说（她常常无缘无故地微笑）：再说了，这些只是盗贼①，耶稣在我的口中呢。说着，她使劲地张开颌骨，用一只手的食指和大拇指把又厚又肥的下唇拉向长着细胡须毛的下巴，在清一色的下牙龈中，独独地突兀着一颗长长的、黄黄的、尽根毕露的犬牙，它被雕琢成著名的基督在十字架上殉难的样子，好像是用牙钻钻的。我每天洗刷它五次，她说道，每一次都为了他的一处伤口。她用空着的那只手的食指触摸了它一下。它动了，她说，我真害怕不知哪天早晨我醒来时会发现已经把它吞到肚子里了，还是把它拔了比较好。她松开下唇，只听啪的一响，好像棒槌敲击什么的声音，那片嘴唇就回复了原位。这一小插曲给麦克曼留下了

---

① 据《圣经·新约》，有两个盗贼跟耶稣一起被钉上了十字架。

深刻的印象,促使他在感情生活中朝摩尔大大跃进了一步。到后来,等他将自己的舌头伸进她的口中,并自由自在地在她的齿龈上滑来滑去,恰似信步于闲庭之中时,这颗耶稣受难十字架的破牙对那亲吻的快乐肯定不会感到陌生。但是,除了这些个无害的佐药之外,还有什么是爱情吗?一会儿是一件东西,比如一副吊袜带或是一段腋下垫布①。一会儿却又是一个第三者的形象。再用几句话了结这一段私情的结局吧。不,我不能够。

我慵懒,厌倦,最后一轮白亮的明月,唯一的遗憾,甚至没有。死去,在她之前,在她之后,和她一起,转过来,阳清阴浊,相叠共亡,围着可怜的人们转,再没有什么好去死的了,在行将死去的人们中。甚至没有,甚至没有这。我的月亮在下界,这儿的下界,我曾经渴望的小小东西。一天,很快地,地上的一夜,很快地,地下的,同我一样,一个濒死者将在大地的光芒中说,甚至没有,甚至没有这,然后将死去,不带一丝的遗恨。

摩尔。我将杀死她。她一直在照顾着麦克

---

① 指上衣内置在腋下部位用于隔汗的垫布。

曼,但这已不再是同一个女人了。手上的活儿一做完,她就坐在房间中央的椅子上,再也不动一动。要是他叫唤她,她就前来在床上栖息一下,甚至任他轻轻地搔她痒。但是,她显然心不在焉,她仅有一件急事要做,回到椅子上去,继续做着业已成为习惯姿势的那个动作,两只手在肚子上缓慢地按摩着,轻轻但用力地按压。她开始闻到什么了。她从来没有闻到过这么好闻的香味,但是在没闻到香味与散发出她在这个时期散发的气味之间,有着整整一个世界。再者说,她常常犯呕吐。那时,她转过身,只给她情人一个因痉挛而抽搐不已的后背,她哇哇地往地板上吐了又吐。有时,这些脏物整整好几个小时地留在那儿,等着她缓过劲来寻找什么东西把它们扫走,把地板擦干净。倒退五十年,年轻的她恐怕会觉得自己怀了孕。同时,她大把大把地掉头发,她向麦克曼承认自己再也不敢梳头了,怕它会加速脱发。她什么都对我说,他心满意足地自语道。但这一切比起她脸色的变化来就算不了什么了,她的脸色看起来已从蜡黄变成橘黄了。麦克曼看到她越来越抽抽,呕吐不断,浑身发臭,仍然禁不住把她抱在怀中。只要她不表示反对,他肯定会这么做的。人们理解他(她也理解)。因为,当与超常生命分享的唯一的爱就在手边时，人们自然很愿意趁时间还来得及而把握住它，只要这爱情是真正的，人们自然不会被些许倒胃口的东西吓得调头而逃，只有那些情感不冷不热的家伙才会恶心，而恋人是不会把它挂在心上的。尽管一切好像都在显示摩尔的身体不舒服，麦克曼仍然无法不让自己觉得，她的举动透出了一种对他的冷落。而且，也许真的是这么回事。不管怎样说，她越是衰弱，麦克曼就越是想把她压碎在自己的胸前，这一点倒是相当罕见，相当奇特，有必要在此提上一笔。当她朝他转过身来，用那双他以为流露出一种无限的爱和无限的遗恨的眼睛看着他时（她仍然时不时地看着他），这时，便有某种癫狂攫住他，他便双拳捶打胸脯、脑袋，甚至床垫，扭曲着四肢，大声地叫嚷，或许是希望她对他产生怜悯心，来安慰他几句，为他擦一擦眼睛，就像他闹着要帽子的那天那样。然而，没有，于是他就打自己，翻来滚去，没完没了地嚷嚷，因为她撒手不管，要是这一切持续得太久了，她甚至会走出房间去。于是，他就一个人继续疯疯癫癫地闹腾，这就是一个证明，不是吗？证明他可有可无，全然引不起别人的兴趣，除非他猜测到，她正停在门后静静地听着他。等他最后安静下来了，或者闹不动了，他就忆念起早已逝去了的漫长的流浪期,没有居所,没有慈悲,没有人类温情的日子。他甚至轻率到极点,竟自问起人们究竟有什么权利要来照料他。一句话,麦克曼的日子不好过。摩尔也是,假如人们不得不讲句公道话,她的日子确实也不好过。正是在这段时期中,她的犬牙掉了,是它自个儿从牙槽上脱落的,幸亏是在大白天,她还能接住它,并把它放到可靠的地方。当她把这事告诉麦克曼时,他自言道:她终归会把它送给我的,或许,至少也让我瞧一眼。但是,后来,他又自言自语,第一句话,她本来完全可以什么都不对我说,这表明了她对我的感情和信任。第二句话,但是,无论如何我总是会知道的,只要她一开口说话或是咧嘴微笑就行。最后还有一句,可是,她再也不说话,再也不微笑了。一天清晨,一个他从未见过面的男子来告诉他,摩尔死了。总算打发走了一个。我叫勒缪埃尔,他说,尽管我的父母可能有雅利安人的血统,可从今往后还是由我来照料你。这是你的麦片粥。趁它还热赶紧把它吃了。

再努一把力。勒缪埃尔给人的印象是,凶狠得令人害怕,但说他凶狠还不如说他傻来得更为确切一些。当麦克曼——他现在越来越为他表面的情境而担心,但他毕竟变得能够单独居住，而且表达得足以使人部分地明白他脑子里转悠着的那一点点想法——我说，当麦克曼询问他什么情况时，勒缪埃尔很少会马上给他一个回答。当勒缪埃尔被问到，例如，天主的圣约翰是一家私立机构还是属于共和国所有，它是一家专为老年人和残疾人开的疗养院还是一家精神病院，一旦被逮住送进来，还有没有一丝希望有朝一日离开这儿，当然这是指病情好转，办妥手续的情况下，等等，他会久久地陷入梦幻般的沉思，有时一直可以待上十分钟或一刻钟之久，一动也不动，或者轻轻地挠着脑瓜或胳肢窝，仿佛这一连串的问题始终没能触到他的智力之弦，或者，也许他正思考着别的事情。假如麦克曼实在等得不耐烦，或以为自己没表达清楚，想再开口重复，勒缪埃尔一个武断的动作便教他缄口不语了。这便是他，从某个角度看上去的勒缪埃尔。有时，他也会叫嚷起来，捶胸顿足，一副难以描述的神经质模样：臭大粪，让我想想！但更为经常的是说一句，他什么都不知道。但是，他有时也很容易换上一副好脾气，这差不多就算是次一等的狂躁了。那时，他会补充一句：不过我将去问问。他取出一本航海日志般大小的笔记簿，一边记下，一边嘟囔道：私立还是国立，疯人还是我们这样的正常人，怎样出去，等等。当他不再听到谈论这些时,麦克曼就可以安心了。我可以起床吗?有一天他问。还是在摩尔在世时,他就不止一次地表达了自己想起床,到室外去透透气的愿望,不过,他问得很腼腆,仿佛在向别人要天上的月亮。他很早就明白,假如他肯乖乖听话,他也许有一天可以起床甚至可以出门,去呼吸平原上纯净的空气,到了那一天,所有的护理人员一大早上班之前,或者下班回家之前,这得依情况而定,都将聚集在大厅里,他们将看到记事板上钉着一份通知,内容如下:让一百七十六号起床,出门。因为对于一切触及规章制度的东西,摩尔显得意志坚定,毫不动摇,而她的说话声盖过了心中珍藏的爱情的声音,每次,这两种声音都同时让人听到。就拿牡蛎作例子吧,院方拒绝了她,提醒她条例上规定院内不准带入牡蛎,但她本来可以轻而易举地把它们弄来,只要她强调牡蛎的复杂性:麦克曼从来没有见到过它们的颜色。但是,从这方面来看,勒缪埃尔不是一块好捏的面团,远不说严格地照章办事,就连章程是什么样的好像都说不上个子丑寅卯来。站在更高的角度来看,人们甚至不免要问他是不是还算得上头脑灵光。当痛苦不堪的思考没有把他钉在原地几分钟几分钟地长久不动弹,他就会不停地踱来踱去,跨着沉重、愤怒、摇摇晃晃的步子,一边使劲地挥舞着胳膊,一边嘴里吐着含糊不清的音调。被活生生地剥夺了记忆,精神便如眼镜蛇一般蠢蠢欲动,他既不敢做梦,也不敢思想,同时又无力保护自身,他的叫喊分成两类,一类出于精神痛苦的唯一缘由,另一类在各方面都与前一类相似,只不过他希望能依靠它们来预防精神的痛苦。身体的痛苦则相反,对他来说似乎是一种珍贵的援助,有一天他撩起裤腿,给麦克曼看他布满青痕、疮疤和擦伤的小腿。然后他突然从内衣口袋中掏出一把锤子,朝旧伤累累的斑痕处狠命地一击,击得那么厉害,他当即就仰面倒下。但是,他用这同一把锤子最愿意打击的地方,是他的脑袋,这一点不是没有理由的,因为它同时是身体上骨头较多的一个部位和较敏感的一个部位,而且又极容易打着,正是在这里面装着所有那些肮脏不堪、腐臭无比的货色,人们打它比打别的地方更情愿,比方说打小腿,小腿又没惹你什么事,这样很人道。我有权利起床吗?麦克曼叫道。勒缪埃尔一动也不动。什么?他嚷着。起床!麦克曼嚷道。我要起床!我要起床!

有人来了。这进行得太顺利。我把自己忘记了,弄丢了。这不是真的。这很顺。我神不守舍。另一个在受苦。这时候有人来了。为了提醒我回到弥留之际。假如这让他们觉得好玩。事实是他们不知道,我也不,我不知道,但他们,他们以为知道。一架飞机飞过,低低地在空中掠过,发出一阵雷鸣般的响声。这是一阵与雷鸣没有任何关系的声音,人们说雷鸣,但人们没有想到雷,这是一阵转瞬即逝的响得不能再响的声音,跟什么都不像。在我的记忆中,这是我到这儿后听到的第一次。但是我在别的地方听到过飞机,我甚至看到过它们飞翔,我见到过第一批飞机,后来,毫无疑问,还见到过最最新型的式样,哦,不是最新的式样,而是最新式样之前的那一批飞机,还有倒数第三的那一批。还有。我曾是某次首批倒飞表演的目击者,我敢起誓。我一点也没有害怕。那是在一个赛马场上,母亲拉着我的手。她说,太奇妙了,太奇妙了。于是我改变了主意。我们常常没有一致的意见。有一天,我们一起登上了一个十分陡峭的海岸,可能离家不远,险峻的悬崖在我的记忆中都模糊成一片了。我记得一片蔚蓝色。我说,天是不是比人们所说的还要遥远,妈妈?这没有什么恶意,我只是自由自在地想到了天与我之间会有多少英里。她回答道,它看来有多远,实际也恰恰有多远。她说得对。但是,当时我被惊得目瞪口呆。现在我还能看到那地方，就在泰勒家对面。这个种菜人是个独眼龙，瘦得根根肋骨毕现。对，爱聊天。我们看到了大海、岛屿、岬角、地峡，看到了向南向北延伸开去的海岸和码头上弯弯的防波堤。我们刚刚从肉铺出来。我的母亲？这也许是一个我听说的故事，从一个觉得它很美的人那儿听来的。在某一段时期中，人们给我讲述一些总是那么美，总是那么美的故事。不管怎么说，我又遇上了鬼天气。飞机，它刚刚以每小时二百英里的速度飞过。这对我们的时代来说已是一个相当快的速度。我从心底里和它在一起，这是一桩谈妥了的事。但是，我总是从心底里跟许多事在一起。心在而形不在。还没么傻。这里便是一套计划，一套计划的结尾。他们以为能够扰乱我，使我找不到计划的头绪。真是一些名副其实的傻瓜蛋。它是这样的。拜访，各种意见，麦克曼的后续，临终的回忆，麦克曼的后续，然后将麦克曼和临终回忆尽可能长久地糅合在一起。这并不取决于我，我的铅笔芯不是用之不竭的，我的本子也不是写不满的，麦克曼不是没有完结的时候，我也不是，尽管表面看来像是另一回事。现在，我所要求的全部事，就是让这一切统统给我滚蛋。除了意外。当然。我们得到了预告。访问者。我感觉到脑袋挨了重重的一下。他在那里或许已经有那么一段时间了。人们不喜欢等得太久,人们如其所能地显露出来,这很有人味。他兴许早已提出了合乎习惯的催促。我不知道他想干什么。他现在走了。好一个想法,往我头上猛击。从此后这儿大放光明,哦,我什么都没影射,我虚弱,同时又容光焕发,兴许他把我打了个半死。他的嘴巴张开了,他的嘴唇在动弹,但我什么也没听见。就仿佛他什么也没说。我还没有聋,飞机可作证明,假如我什么都没听到,那就是说没有什么可以让我听到。但是,我或许渐渐地变得对声音,尤其对人类的声音不那么有感应了。就拿我自己作例子吧,我不发出任何声响,瞧,活该,然而就是没有任何声响。而同时我却呼吸着、咳嗽着、呻吟着、吞咽着,都离我的耳朵不远,我敢肯定。几乎可以说,我不知道究竟应将荣耀归于什么。他一脸恼火的样子。我该不该描述他一下呢?为什么不呢。他也许很有来头。我见过他。一套黑色的西服,裁剪的式样早就过了时,或许重又成了时髦,黑色领带,雪一样白的衬衣,小丑服一样的袖口重重地垂下来,几乎盖住了整双手,烫过的头发,狭长的脸颊刮得光光的,脸色阴沉好像搽了白粉,眼睛黯淡无光,个子不高不矮,不肥不瘦,一顶圆顶帽,先是用手指尖微微地压在下腹部,然后在某一刻突然被扣在了脑袋上,动作敏捷,准确无误,实属罕见。一把折尺和白手绢的一角同时从他的衣袋中露出来。我先是把他当作了一个殡仪馆的职员,很不高兴过早地被他打扰。他着实地待了一段时间,至少七小时。他也许希望在临走之前能心满意足地看到我命魂归天,这样他就可以省得再跑一趟了。有一会儿我以为他会要了我的命。完了。那将是一桩罪孽。他想必在六点钟就走了,他该下班了。从此,我就处在一片光芒之中。就是说他第一次走了后,过了几小时又回来了,然后,终于又走了。他留在这儿的时间应该是从九点到十二点,从十四点到十八点,就这样。他老是看他的表,一块老式的凸蒙怀表。明天他可能还要来。他敲打我的头应该是在上午,大约十点。下午,他没对我做什么,尽管我没有一下子看到他,当我看到他时,他早已在位置上了,站在床边。我说了上午,说了下午,说了几点几点,假如不得不说起别人的事,我们就得设身处地从他们的立场出发,这本不是什么难事。坚决不应该讲的,是你的幸福,现在我什么别的东西都没看出来。甚至最好还是连想都不要想。他站在床边看着我。看到我的嘴唇在蠕动,因为我想说话,他就向我弯下腰来。我有事情求他,我本想求他，举例说吧，把我的棍子递给我。他也许会拒绝。那么，我应该双手合十，眼中噙着泪花，恳求他帮帮我这个忙。多亏了失音症，我不必这样低三下四地作贱自己。我的嗓音没了，别的却还在。我可以在我的本子上写下，然后再拿给他看：请把我的棍子给我。或者：劳您驾请把我的棍子递给我。但是，我已经把笔记本藏在了被单下，怕他发现了会拿走。我藏起了本子，却丝毫没有想到，他早就在这儿待了很长一段时间，看着我写东西（不然他就不会打我了），因为，当他来到时，我肯定还在写着什么，由此，假如他愿意的话，他本可以轻而易举地夺走我的本子，我也没想到，当我偷偷摸摸地藏起本子时，他正在一旁仔细地窥察我，由此，我实际上是欲盖弥彰，只能将他的注意力更集中地吸引到那个我正在掩藏的物体上。以上就是推理的结果。因为我所有的东西现在只剩下了记事本，那么，我坚持保留着它，就更合乎人情了。铅笔芯也是，当然啦，没有纸光有一段笔芯又有什么用？在他吃午饭时他一定会自语道：今天下午，我一定要把他的记事本拿来，谁叫他那么看重它。但是，等他回来时，记事本早已不在上午他看到我放的地方了，强中更有强中手。他的雨伞我有没有讲起过？一把尖顶的伞。他站在床边，把伞尖撑在地上,每隔几分钟便换一下手。这时,他弯下腰。他用伞撑起我的被单。我以为他要用它来杀死我,用那长长的、细细的伞尖,他只需把它戳进我的心脏。人们会说是故意杀人。也许他明天再来,武装得更好,或是跟一个杀手一起来,既然他现在已经熟悉了地形。但是,要说他在盯着我,我倒是也在盯着他看。我想我们俩就这样整整几小时地对视着几乎不眨一眨眼。他自以为能迫使我低下眼睛,因为我年老体弱。傻蛋一个。我已经那么长时间没见到一个这样的畜生了,担心自己会弄错,我如人们所说的擦亮了眼睛。我对自己说:过几天,这帮畜生会啃到树枝上来。这一面!我忘了。有一回,他兴许是被一股怪味熏得难受了,便钻到床与墙之间的通道想去开窗。他开了半天也开不开。整整一上午,我的目光就没离开过他。但是在下午,我稍稍睡了一会儿。我不知道他在这段时间内干了些什么,也许用伞在我的那堆东西里掏了个够,现在它们满满地铺了一地板。我一时间以为他是由殡仪馆派到我这里来的。那些让我在这儿一直活到今天的人无疑希望我入葬时简简单单,没什么排场。此处最终安息着马龙,再写上年月日,一是让人们对他的生卒有一个起码的时间概念,二是以便把他与海岛上已经死去的众多同名同姓者区别开。奇怪的是，我还从来没有遇见并认识一个与我同名的人。我有时间。此处安息着一个可怜的傻瓜，一切于他皆为朔风。但是，请稍稍等一会儿，我是说最多半小时。随后，我赋予他其他的使命，每一个都是那么令人失望，一个比一个令人失望。这是多么奇怪的需要，想知道这些人是谁，他们在生活中干什么，他们想拿你们做什么。尽管他一副悠然自得的神态，身着丧服，头戴圆帽，挥动着雨伞，在某一刻里我看他仍然像是经过了伪装，但伪装成什么呢，打扮成什么呢？在某一时刻，又是一个时刻，他害怕了，他的呼吸急促起来，匆匆离开了床。正在这时候，我见他穿了双黄色的皮鞋，这使我产生了一种印象，任何言辞都无力于表达它，哪怕一丝一毫也难表达。它们沾满了新鲜的黏土，我对自己说：它穿越了什么样的疆域才一直来到我的身边？我问自己他是否在寻找什么珍贵的东西，弄清楚这一点倒是很有意思的。我要撕下记事本的一页纸，凭着记忆，重新记下以下内容，好在明天把它交给他，要不，或是今天，或是无论什么时候，只要他还能再来。1）您是谁？2）您是做什么的？3）您想对我干什么？4）您想寻找什么确切的东西吗？还有什么？5）您为什么生气？6）我对您做了什么事吗？7）

关于我,您都知道些什么?8)您本不该打我的。9)把我的棍子递给我。10)您是在为你自己干活吗?11)若不然,是谁派您来的?12)请把我的那堆东西整理好。13)我的菜羹为什么被取消了呢?14)你们有什么理由不再倒我的尿罐了?15)您认为我的这一情况还要维持多长时间?16)我可以求您帮一个小忙吗?17)您将来的生活条件就是我现在的条件。18)您的皮鞋为什么是黄颜色的,您在哪里把它弄得这么脏?19)您可不可以给我一截铅笔头?20)将您的回答用数字编成号。21)不要走,我还有事情要问您。一张纸够不够?纸好像剩得不多了。既然想要,我可以问他要一块橡皮。22)您可不可以借我一块擦字用的橡皮?等他走了以后,我对自己说:可是,我好像在什么地方见到过他。而我曾见到的人们,我敢向你们担保,他们也一定见到过我。但是,人们对谁不可以说:我认识他?真是实实在在的蠢话。然后是晚上,早上还是那么遥远。我已经习惯了他。我不再见到他。我常常想念他,我试图弄明白,人们不可能同时一边看一边做这个。我甚至没有见到他走。哦,他并没有像一个鬼魂那样无影无踪地消失,我听到了他,他掏出怀表时表链的刺啦声,雨伞戳在地板上欢快的嘀嘀声,他转过身,脚步急促地向门口走去，门无声无息地关上，最后，我敢说，一阵尖厉而欢悦的口哨声慢慢地向远处飘去了。我删去了什么吗？一些小事，微不足道的小事，它们后来回到了我的记忆中，它们使我看清了刚刚发生的事，它们使我开口说道：啊，要是当时我知道就好了，现在实在太迟了。是的，渐渐地我将看到他刚才的那副模样，或者他本应该有的那副模样，好让我再一次对自己说：太迟了，太迟了。这是感觉到了的。要不然，这或许只是一系列各不相同的来访中的第一次。他们将轮流前来，他们人数众多。明天，他也许会穿着马裤，打着绑腿，戴着带镜片的帽子，手里握着一杆马鞭代替昨天的雨伞，还有一块带切口的马蹄铁。所有那些我曾或近或远地见到过的人从现在起都会在我面前走过，这是显然的。这里头甚至还会有妇女和儿童，我也觉察到了，他们每个人的手中都有什么东西可以拿来撑一下身子，可以用来翻弄我的衣物堆，他们一开始都在我头上猛击一下，然后，他们一整天带着愤怒与厌恶的神情看着我。我必须重新制作一份提问表以更适用于他们中的每一人。也许某一天，会有那么一个人因疏忽而忘了规定，把我的棍子还给我。再不，我也许会抓住一个，比如说一个小姑娘，把她掐个半死，我说什么，掐个大半死,迫使她同意把棍子拿给我,给我送来菜羹,给我倒尿罐,拥抱我,抚摩我,冲我微笑,把我的帽子给我,陪我坐在一旁,手拿手帕一路哭泣着跟着柩车走,这将是多么有意思。我从骨子里是那么善良,那么善良,人们怎么会没有发现呢?一个小姑娘对我会很合适,她在我面前脱衣服,她和我一起睡觉,她只有我,我会把床顶到门上不让她逃跑,但这样一来,她会跳窗户走的,当人们知道她和我在一起,他们会给我们两人端来菜羹,我会教她什么是爱,什么是恨,她将永远忘不了我,我将在欢愉中死去,她会为我合上眼睛,她会按照我的要求在我的屁眼里塞上一个塞子。别激动,马龙,别激动,肮脏的腐肉。说到底,人们可以不受伤害地禁食多长时间?科克市的市长持续了无限长的一段时间,但他很年轻,再者,他具有政治信念,甚至也许就是简单的人道信念。而且他允许自己时不时地喝一丁点儿水,兴许是加糖的甜水,请可怜可怜喝吧。我怎么搞的,竟然一点儿都不渴?我可能从内部得到了浇灌,从我的分泌物中。对,还是说说我自己吧,这会让我从这个恶棍身上摆脱出来。何等的光芒。这难道是通向天堂的第一步吗?我的脑袋。它着了火,满是滚烫的油。我最终会因什么而离去呢?因脑充血?那就太过分了。我的天,那种痛,简直受不了。剧烈的头痛。死神肯定会把我当作另一个人。毛病全出在心脏,就像在火柴之王的胸膛里,他叫什么来着,施奈德,施罗德,我记不清了。再说,它也发热,它发红,他的,我的,他们的,它为一切而害羞,除了在表面上跳动。这没什么,一点点神经质,仅此而已。谁知道,或许到头来我会一口气喘不上来。在每一次供认之后,之前,之中,何等使人头晕的窃窃私语。清晨窗户对我说话,乌云撕裂为一小块一小块慢慢地溃散着。好好玩吧。远离着这淡红色的阴影。是的,我透不过气来,我的肺腑大张着,空气窒息了我,它也许稍稍缺氧。麦克曼站在乱风中劲舞的高大的黑松树下,像个侏儒,他看着远处波涛汹涌的大海。别的人也在那儿,或者在窗前,像我一样,但是站立着,他们必须是能够走动的,必须这样,至少也应该是能推送着运走的,不,不像我这样,他们对任何人都不能做什么,他们紧紧地抱住哆嗦不已的柳树,或者待在窗前,谛听着什么。但是,或许我最好还是首先结束我自己,当然这要看情况的许可了。这个旋转的速度当然是碍手碍脚的,但它很可能只会再增加,这是必须看到的。备忘,在问题表上加上:万一您有一根火柴,请您好心地把它划燃。这是怎么回事，当他对我说话时，我怎么什么都没听到，而当他吹着口哨离开我时，我却听见了？也许他只是假装在对我说话，好让我相信自己成了聋子。现在我听到了什么没有？让我们瞧一瞧。不。既没听到风声，也没听到海涛，没有纸张的掀动，也没有我那么使劲吐出的气息。但是，哪来的这些不计其数的废话，像是一大群人在窃窃私语着？我不明白。我用自己伸在远处的手数着剩下的纸页。会行的。这个记事本，这本厚厚的儿童练习簿，它是我的生命，我花费了那么多时间听命于它。然而我将决不会把它弃掷掉。因为，我要最后一次将那些人写在里面，我叫他们来帮助我，和我一起死去，但是我召唤得不好，以至于他们都没有弄明白。休息。

麦克曼在他长长的衬衣之外穿上一件带条纹的一直拖到他踝骨处的披风，头上戴上摩尔替他找回来的那顶帽子，就这样出门透气去，从早到晚，风雨无阻。不知有多少次需要人在黑暗中打着灯去寻找他，把他拉回来，拉回到他的小房间里，因为他耳聋，先是听不到打钟的声音以及勒缪埃尔的叫喊声和咒骂声，后来连别的看护人员的叫喊声也听不见了。于是，看护人员都穿着白大褂，提着油灯，握着棍棒，呈扇形排列走出大楼，敲打着矮树丛，扫荡着蕨丛和灌木丛，叫嚷着逃亡者的名字，假如他不肯马上屈从，就威胁他要处以最严厉的报复。但是，到最后，人们发现他总是躲在——每当他躲起来时——同一个地方，同时，人们也自然意识到没有必要出动那么多人马了。从此后，每当需要找他时，就由勒缪埃尔一个人出发，他就静悄悄地、胸有成竹地径直走向麦克曼为自己挖掘了巢穴的那处灌木丛。我的上帝。他们经常在那儿一块儿待上好一阵子，然后再回来，他们身子挨着身子蹲在树丛里，因为巢穴太小了，他们一声不吭，或许在静静地听着深夜的声音，猫头鹰叫，风拂动着树叶，海浪汹涌起来时发出的澎湃的波涛声，此外，还有黑夜中人们说不上出自何物的其他声响。也有一些时候，麦克曼因不再孤独一个人而厌烦起来，便独自走了开去，然后再回到房间，等勒缪埃尔找到他时，时间早已过去好一阵子了。这是一个真正的英国式花园，尽管这地方远离着英国，但是在粗犷无羁的意义上来说，它已经达到了荒诞的程度，一切都显示出一种贪婪的繁茂景象，树木相互纠缠，枝条彼此盘绕，野花与杂草也竞相生长，纷纷争夺着阳光、空气和土壤中的养料。一天晚上，麦克曼回来时带回了一根从枯死的树苗上扯下来的枝条,想用来做一根棍子拄着走,勒缪埃尔一把将它夺走,并用它狠狠打了他一顿,不,这样不行,勒缪埃尔叫来了一个名叫帕特的看护,那是一个真正的蛮汉,尽管从外表来说他很弱,他对他说:帕特,给我好好瞧瞧这个。于是,帕特冲麦克曼扑来,夺他手中的树枝,麦克曼看到事情闹到这种态势,便把树枝牢牢握在双手中,并用它打他,一直到勒缪埃尔连声叫住手,他仍不肯罢休。这一切没有任何的解释。稍晚些时候,麦克曼散步回来又带回一枝连根带鳞茎的风信子,希望这样就能把它多保存一段时间,比简简单单地折来的枝条保存得更长久,不想又遭到了勒缪埃尔的猛烈指责,勒缪埃尔从他手中夺走那枝漂亮的花,威胁他要重新把他交给杰克严办,不,是交给帕特,杰克是另一个。然而,把小灌木丛——那是一种月桂——毁得个半完以求能在里面藏身,从来就没有引起他丝毫的指责。不要大惊小怪,没有什么对他不利的证据。假如人们就此问题询问他,他当然会讲实话,因为他自认为做得没有什么不对。但是,人们肯定在猜想他只会否定,只会撒谎,因此就没有必要拿这个问题去逼他了。再者说,在天主的圣约翰医院,人们是从不询问的,在这儿,人们根据一种特殊的逻辑做推理,要不就简单地惩治，要不就全部豁免。因为，要是认真地想一想，哪一条法律规定了，手中的一枝花就可以使持花人担上采花的罪名？或者，手上公开拿着一朵花的事实就构成了一项与窝藏罪相同的轻罪呢？在这种情况下，直率地正大光明地把一切禀告给当事者，并通过此举让负罪感迟于而不是先于犯罪行为而产生，这样不是更好吗？这样，问题似乎提得很恰当，提得很好。全靠那件像屠夫穿的蓝白相间条纹的斗篷，我们根本就不会把麦克曼同勒缪埃尔、杰克以及帕特搞错。鸟儿。众多的各色各类的鸟儿成年无忧无虑地生活在这枝叶茂盛的树林里，它们没有别的担忧，只担忧着它们的同类，说穿了，就是那些在夏季或冬季飞往其他地方而在下一个冬季或夏季又飞回来的候鸟。空气中回荡着它们的鸣啭，尤其在清晨与黄昏，那些在早晨成群结队地飞到远处寻食劳碌的鸟儿，如乌鸦和椋鸟，到了晚上会兴高采烈地飞回这圣地来，这里，它们的留守者正等待着它们。每当暴风雨来临时，成群结队的海鸥在飞往内陆的逃难途中会在此地做短暂逗留。它们在恶劣的天气中愤怒地叫喊，久久地盘旋在空中，然后降落在草丛中或停在屋顶上，它们始终提防着不去树上栖息。但这一切如同众多别的东西一样，都不是问题所在。一切皆为借口，萨泼，鸟儿，摩尔，农夫，城里互相寻觅而又逃亡的人们，我那不再提起我兴趣的疑虑，我的处境，我的拥有物，这一切都是借口，以便不涉及本题，不抛弃原有的东西，它们不会竖起拇指，叫一声：大拇哥①，然后不经审判地走开，哪怕这会招来小伙伴们的白眼。是的，说得再好听都没用，要离开一切总是困难的。失却了自卫的无用的眼睛低贱地停留在它们长久要求的东西上，在那最后的，真正最后的要求上，在那什么都刺激不起来的要求上。正是在这时，一丝微弱的空气如愿以偿地唤醒了枯死的意愿，一阵喃喃的轻语从喑哑的世界中诞生，亲切地责备着您绝望得过于迟缓。如同临终圣体，人们只能姑息将就。让我们寻找另一连接。清新的空气

我仍然要试着继续下去。高原上的清新空气。这确实是一个高原，摩尔没有撒谎，更确切地说，这是一个坡度极小的高丘。圣约翰医院的底盘占据了这整个圆帽形高地，风在这里无休无止地刮着，把最粗壮的树木都吹弯了腰发出呜呜的悲鸣，它折断枝杈，摇晃着灌木

---

① 西欧习惯，儿童游戏时，当一人竖起大拇指，叫一声"大拇哥"时，意味着他要暂停，退出游戏。

丛，折腾着蕨类，压平了野草，一股脑儿地卷走了树叶与花朵，我想没有遗忘什么吧。好。一道高高的围墙围住了四周，但它只是让处在近处的人什么都看不见。怎么可能？这显然全靠地势的隆起，其最高峰——叫做 Roc，因为这里有一块岩石——俯瞰着平原、大海、山丘、城市的烟雾，还有医院的大楼，大楼尽管在远处，看起来仍然庞大、宽阔，那里每时每刻都会有像小白絮片那样的东西生长出来并消失殆尽，实际上这些白絮团只是来来往往的看护人员，他们中间兴许还杂有我称之为囚犯的人，因为从这个距离看去，斗篷不再显出条纹，甚至也没有斗篷的模样。最初的惊讶过去之后，人们只能说：这是些男人和女人，反正是一些人，其他就不能再明确什么了。一条被人们跨过的河流越流越远——但是这里涉及的是真正的大自然。它是从哪里发源的，我自问道。也许从地下。一句话，对那种喜欢落拓不羁的人来说，这是一个小小的伊甸园。麦克曼有时也问自己，他的幸福中究竟缺少什么。有不论什么天气都出去呼吸新鲜空气的权利，从清早一直到夜幕降临，有向他伸出枝条像要把他裹住把他藏住的植物，有免费提供的确切保证的住宿与饮食，有无论从什么方向看去都可以看到永恒敌人的完美视角，有被严格控制到最小量的粗暴行为和刁难侮辱，有鸟儿的鸣啭，除了勒缪埃尔之外没有任何与人类的接触，即便是勒缪埃尔也对他能少看一眼就少看一眼，还有被永不停顿的步行和猛烈的大风折腾得难以运转的记忆能力与思考能力，摩尔已经死去，他还有什么可期望的呢？我应该是幸福的，他自语道，可我并不如我想象的那样快乐。他越来越频繁地往围墙方向走去，却不能靠它很近，因为那里有人看守着，他要寻找一个出口，走向没有一人没有一物的忧伤，走向缺乏面包缺乏住房的恐怖的大地，走向孑然独行、空虚乌有的黑色欢乐，无能为力，清心寡欲，穿越过智慧、美丽与爱情。他所说的话是：我足够了，因为他头脑简单，没有一分一秒的时间去考虑他在什么东西上足够了，也没有将他满足的与以前他曾经满足的而后又丢失的相比较，更没将它与他会重新拥有的足够之物相比较，他没有猜到，人们经常感觉到过度的东西与人们经常以其称呼众多而引以为荣的东西，实际上也许就只是同一回事。但是，有另一个人替他考虑这些，并冷静地将等号放在应该放的地方，仿佛这样就可以改变什么东西了。这样，他就可以满足于这一简单而愚蠢的叹息，足够了，足够了，同时，在植物藤蔓的遮盖下，继续慢吞吞沿着围墙走着，寻找一个缺口，好趁夜深人静之际溜出去，或者找一个凸起的地方好借此登高翻墙而越。但是，围墙又光滑又平实，整整一圈上都镶着绿色的玻璃碎片。再让我们看看栅栏门吧，它是那么宽大，足足可以让两辆大车同时通过，两边有两间漂亮的小房子，房子上盖满了青青的葡萄藤，房子里分别居住着众口之家，这是根据在附近玩耍的一大群天真无邪的小孩子猜出来的，他们追来抓去，发出欢乐的、愤怒的和痛苦的尖叫。四面八方的空间围住了麦克曼，他被囚禁在中间，好像关在一个樊笼中，和无穷无尽微微动弹的、苦苦挣扎的躯体——其中还包括，假如我们愿意，这些孩子，这些房子，这些栅栏——在一起，时光消逝，如同在万物中渗出水来，汇入一条宽广的溪流中，它汇合了潺潺的涓滴与滔滔的激流，万物局促不安，彼此紧依相靠，各各按照自身的孤独变化着，走向死亡。栅栏的后面有一些形状在大路上经过，麦克曼无法说清它们是什么，因为铁条挡着，还因为在他背上，在他身边抖动的、狂怒的一切，因为叫喊声、蓝天、催他倒下的大地，还有他长久的失明生活。一个看守从一间屋里出来，可能是得到了电话通知，他穿着白衣服，手里拿着一个长长的黑东西，一把钥匙。孩子们退到了小路两边。突然出现了一些妇女。一切都停止不动，鸦雀无声。沉重的栅栏门打开了，把那男子推了回来，他先是后退几步，然后突然转身，匆匆地站到了他的门槛上。大路显露出来，布满了白色的尘土，两边是黑黑的大土堆，一部分恰好被灰色的狭窄的天空堵住了。麦克曼放开他藏在其后的大树，爬上了斜坡，他没有跑，因为他只能很艰难地迈步，但他走得尽可能地快，弯着腰，俯冲着，利用着迎面而来的树干和树枝，向前扯拉着身子。渐渐地，浓雾笼罩了下来。缺席的意义，被监禁的人们又窃窃私语起来，各人在自己心里，就仿佛什么都没有发生过，什么都不会发生。

麦克曼之外的一些人穿着沉重的斗篷从早到晚地闲逛，在难得一见的林中空地上，在浓荫密遮了蓝天的树林中，在高高的蕨类植物丛中，他们在那儿就像是游泳者。他们彼此很少靠近，这是因为一方面他们的数量少，另一方面公园的面积又大。但是，每当偶然的机会使他们两个人或者两个以上的人碰到了一起，等他们走到相当近足以相互提醒时，他们就匆匆忙忙地扭头往回走，或者，即使不走到这一步，也会简单地改变一下方向，仿佛他们都羞于出现在同类的面前。但是，有时候他们也把脑袋紧紧地裹在宽大的帽兜里,装作丝毫没有发觉的样子,与别人擦肩而过。

麦克曼身上带着一张摩尔送的照片,他时不时地掏出来看,这或许还是一张达盖尔照片①。照片上,她站在一把椅子旁,双手揪着自己的长辫子。在她身后,存留着某种藤萝架的痕迹,上面爬满了鲜花,无疑是一些玫瑰花,它们很喜欢爬藤。她把这纪念物送给麦克曼的时候,对他说,那时候我十四岁,我还记得那一天,那是在夏天,是我生日那天,拍完照以后,他们就带我去木偶剧场了。麦克曼回想起这些话。这张照片中他最喜欢的,是那把椅子,椅子垫好像是用麦秆做的。摩尔使劲地闭着嘴唇,为的是遮住她的大龅牙。玫瑰花也一定很漂亮,它们一定会散发出香气。在一个大风天里,麦克曼最终撕了这张照片,并把碎片往空中一扔。尽管碎屑经受的都是相同的条件,这时却纷纷扬扬地,几乎可以说是迫不及待地飘散开来。

---

① 指用法国人路易·达盖尔(Louis Daguerre,1787—1851)发明的照相法拍摄的照片,即在涂上碘化银的底板上曝光,再熏以水银蒸汽,并用食盐溶液定影。

当天下雨时，当天下雪时

谈正题。一天早上，勒缪埃尔上班之前按规定先来到大厅，发现黑板上钉着一份与他有关的通知。勒缪埃尔小组，假如天气允许的话，去海岛郊游，跟佩达尔夫人一起去，十三点出发。他的同事们看见他时一边嬉笑着，一边互相捅着胳膊。但是，他们什么都没敢说。一个女子这时开了腔，他们带你坐船去，这句话引起一阵哄堂大笑，大伙儿自发地结成一对对，互相搂抱，摇晃起来，每人都在对方的肩上伸出脸来笑。勒缪埃尔不讨人喜欢，这是显而易见的。但是，他自己希望那样吗？一切都摆在那里了。他在通知上签了名，就走开了。太阳才刚刚升起，吃力地升起，给即将开始的一整天洒下了一片光明，全靠这东升的旭日，这五月或四月的一个晴朗日子开始了，应该是四月，很可能是复活节的周末，耶稣在地狱中度过了它。也许正是因为表示对耶稣的敬意，佩达尔夫人才为勒缪埃尔小组的人们组织了这次去海岛的郊游，这将破费她不少钱，但她是一个富有的女人，一贯致力于行善，乐意为比她更加不幸的人带来一点点的快乐，她具有清醒的理智，生活对她绽开笑容，或者用她自己的话来说，生活还给她一个被扩大了的微笑，就如同人们在照一面凸镜或是凹镜,我不知道。勒缪埃尔厌恶地盯着太阳看,当然他利用地面的大气已将阳光做了过滤。那时他正在自己的房间里,位于四层或是五层,他的性格若是有更多一点的坚强,就会不止一次地从那里十分安全地跳窗了。长长的银地毯就在那儿,它被压出美丽的花纹,抖抖索索地一直穿过宁静的大海,消失在海角。房间很小,整个一片空荡荡,因为勒缪埃尔就在地板上睡觉,也在地板上做短暂的休息,这次在一个地方,下次在另一个地方。但是,现在说的正是勒缪埃尔和他的房间。佩达尔夫人并不是唯一一个关心圣约翰医院或者如同当地人善意地称为上帝约翰家的被保护人的人,她也不是唯一一个组织大约每两年一次的远足的人,这旅行或在陆地或在海上,目的地是一些风光优美的景点或名胜古迹,除了远足,有时也在原地组织娱乐活动,像什么月光下露台上的魔术表演和腹语术表演,佩达尔夫人有另外一些夫人的支持和帮助,她们和她一样乐于助人,一样富足殷实。但是,现在说的正是佩达尔夫人。谈正题。勒缪埃尔带着两个撂在一起的桶走向厨房。那里笼罩着一派忙碌的气氛。六份外出菜羹,他低声哼哼着。什么?厨子问。六份外出菜羹!勒缪埃尔喊了起来,把他的桶扔到炉子边上,不过他还没有松开提环,因为他还保留了足够的冷静,不打算自己再去把桶扶起来。于是厨房里一阵静默。行啊,行啊,厨子说。外出菜羹与普通菜羹或在家菜羹的区别在于,普通菜羹全是汤水,而外出菜羹的汤里还有一块肥肉,它的目的在于维持远足者的力气让他们能一直顶到回来。等他的桶盛满之后,勒缪埃尔就离开厨房来到一个避人的地方,把袖子一直卷到肘部,把六大块肥肉一一从桶底捞起来,他自己的那块和别人的五块,把它们都吃了,只剩下肉皮,在把肉皮舔了舔之后再把它们扔回菜羹里。怪事一桩,不过细想起来也并非多么怪,人们连问都没有盘问一下,就听了他的要求给了他六份外出菜羹或称额外菜羹。那五人的房间互相离得那么远,而且排列得那么巧妙,连勒缪埃尔都从未弄清楚过,怎么走才能付出最少的力气和烦恼而不漏一间地连续走遍。在第一间里住着一个年轻人,年轻的死鬼。坐在一把陈旧的摇椅上,衬衣脱在一旁,双手放在大腿上,要不是他的双眼大睁着,简直就像睡着了。他从来不出门,除非来自上面的命令非逼他出去不可,那时,必须有人陪同他,以便催他向前走。他的尿壶是空的,而同时他的饭盒中,头一天发的菜羹被吃了。这要是倒一个个儿,事情反而不那么让人吃惊。但是，勒缪埃尔习以为常了，他不再问自己这家伙是靠吃什么活的。他把饭盒中的剩物倒在那只空桶中，再从那只满桶里给他盛上一饭盒新鲜的菜羹。然后，他一手提着一只桶走开了，而直到目前为止，光用一只手就足以提得了两只桶。他在身后把门锁上，纯粹出于过分的小心，害怕万一发生逃跑。第二间房离这第一间约莫有四五百步之远，关着的那个家伙没有别的惊人之处，只有他的个头，他的呆板，还有他的那副神色，自言自语地唠叨着好像要寻找什么东西的样子。他身上没有任何东西能显示出他的年龄，也无法知道他到底是保养得巧妙之极，还是相反过早地萎衰。人们管他叫英国人，尽管他远不像个英国人，也许是因为他时不时地说几句英语。他倒没有脱衬衣，却用两床被单把自己裹得严严实实，如在襁褓之中，在这粗制滥造的茧子之外，他再披上自己的那件斗篷，把它系得紧紧的，好像十分怕冷，他用一只手系斗篷，因为他需要用另一只手帮自己监视在他看来一切可疑的东西。然而他的脚相反倒是赤裸的。早安，早安，早安，①他说道，操着一口浓烈的外国腔，同时向四周投去

---

① 原文为英文"Good-morning, good-morning, good-morning"。

探索的目光，真操蛋，这糟透了的事儿，是不是？① 也许他怕把自己的思想表达走了样。这突如其来的冲动力不知不觉地将他从原来处在房间中央的最佳观察位置上挪离了一点点。什么！② 他叫道。他的菜羹竟然被一滴一滴地转移到了尿壶里。他焦虑不安地盯着勒缪埃尔，看他干活，倒空，装满。又一次整夜梦见那混账男人奎因，③ 他说。他保持着时不时地出门的习惯。但是，走了几步之后，他就被满天的昏暗闹得神魂颠倒，于是停下来，摇晃一阵，赶紧往回走，奔回房间。

在第三个房间里，一个小瘦子灵活地来回不停地踱步，他手里拿着一把伞，斗篷折起来挽在手臂上。漂亮的头发，雪白如丝，柔软光滑。他低声地对自己提着问题，思考一番，然后回答。只要房门打开一条缝，他就迫不及待地要冲出来。确实，他就常常在花园里来来回回地散步度过一整天。勒缪埃尔没有放下桶，用肩头一撞就把他顶回去倒在地板上。他从惊

---

① 原文为英文"fucking awful business this, no, yes?"。
② 原文为英文"What！"。
③ 原文为英文"Dreamt all night of that bloody man Quin again"。

愕中醒悟过来,把一直未撒手的斗篷和雨伞紧紧贴在胸前,就地大叫大哭起来。在第四个房间里,是一个粗壮笨重的大胡子,他做的唯一事情,就是时不时地搔挠自己。他把枕头摆在窗户下面的地板上,自己歪七斜八地坐在枕头上,垂着脑袋,闭着眼睛,张着嘴巴,叉开双腿,鼓着膝盖,一只手撑在地板上,另一只手伸进衬衣里来来去去地挠着,等着他的菜羹。等着他的饭盒一装满,他就停止搔挠,向勒缪埃尔伸出手,希望勒缪埃尔能把羹送过来,免得自己再挪窝,但每天他都失望了。他仍然喜爱蕨丛的黑暗与秘密,却从不去那里。这么说来,我们有了年轻人、英国人、瘦子和大胡子。我不知道他们是不是有什么变化,我不再记得了。至于别人,但愿他们能原谅我。在第五个房间里,是麦克曼,昏沉沉的。

再来几行,好让我记起来我自己也还苟活着。没有人再来。自从我的拜访后又过了多少时间。我不知道。很久。而我。不可否认地奄奄一息,生命的句号。这一保证从何而来?试着想一想。我不能够。崇高的痛苦。我发肿了。我是不是会爆裂开来呢?天花板靠近来,远离去,有节奏地来往,就如同我还是胎儿时那样。同时还要指出,有一种水的巨大响声,做了必要的变更①的现象,也许与沙漠中的海市蜃楼现象十分相像。窗户。我将再也见不到它了,我很遗憾地再也转不动脑袋了。光线又变得忧郁伤人,挤捂得严严实实,阵阵旋涡冲过,挖成了底部透亮的深深的漏斗,或许我应该说它是空气,是抽吸着的光线。一切准备就绪。除了我。我敢冒昧地说,我在死亡中诞生。这就是我的印象。滑稽的妊娠。双脚已经先出来,来到生存的巨大母胎之外。我希望它是顺产。我的脑袋将最后死去。把你的双手拿回去。我不能够。撕裂人的被撕裂。我的故事停住了,我将仍然活下去。前程远大的差距。关于我的就完了。我不再说我这个字了。

经过大约两个小时的努力,勒缪埃尔终于把他的人马集合齐了,他和他的小世界的全部人在平台上等着佩达尔夫人光临。他是单枪匹马完成这一切的,帕特拒绝帮助他。一条绳子系着四个人的脚踝,一头是年轻人和瘦子,另一头是英国人和大胡子,勒缪埃尔自己挽着麦克曼的胳膊。麦克曼因为整个上午被关押着而恼怒不已,他不明白人们想对他干什么,所以他的抵抗也最为激烈。他尤其拒绝不戴帽子就

---

① 原文为拉丁文"mutatis mutandis"。

出门,其态度之强硬、火气之巨大令勒缪埃尔手足无措,最后他不得不让步,允许麦克曼戴着他的帽子,只是有一个条件,必须把帽子好好地藏在斗篷风帽的下面。麦克曼并没有因此而不显得骚动不安和闷闷不乐,他一面拼命挣扎企图抽出他的胳膊,一面叫嚷着:放开我!放开我!看到自己成了不可理解的提防和防范的对象,由脚踝子两两拴在一起,其他可怜虫相伴着,他不禁更加生气!年轻人受到阳光的煎熬,痛苦得无精打采,想夺走瘦子的雨伞,一声声地叫道:阳伞!阳伞!瘦子则向他的手和小臂发起一阵阵急促的突刺。恶人!他叫嚷道。救命!大胡子把胳膊架在英国人的脖子上,两腿软塌塌的,吊在他身上走。英国人迈着蹒跚的步子,但自豪之情支撑着他不至于坍塌下来,他一点儿也不发火地打听个不停。这个讨厌的家伙是谁,① 他说道,你们这帮可怜虫,有谁知道②。注意一点举止,院长时不时漫不经心地说,不是院长说的,就是他的代表说的,他也在场。在大平台上就他们这几个人。她是不是担心天气有变?院长说。接着,

---

① 原文为英文"Who is this shite anyway"。
② 原文为英文"any of you poor buggers happen to know"。

他转向勒缪埃尔,又补充道:我向你们提一个问题。碧空如洗,没有一丝云彩,也没有一丝风。那个长着基督一样的胡子的漂亮小伙在哪里?但是,在这种情况下,她难道不会先挂个电话吗?院长说。

排凳马车。佩达尔夫人坐在车座上紧挨着车夫。两条凳子都平行于前进方向,一条凳子上坐着勒缪埃尔、麦克曼、英国人和大胡子。麦克曼同样也留着大胡子。还有呢?在另一条凳子上,与他们面对面坐着的,是瘦子、年轻人,以及两个穿着船员服的大高胖子。经过栅栏门时,孩子们齐声拍起巴掌来。一个突然出现的又长又陡的下坡,使车上的人全都慢慢地向大海俯冲下去。制动闸刹下以后,车轮子滑动着而不是滚动着,马儿踉踉跄跄,在车身的推动下挺胸直立起来。佩达尔夫人紧紧地箍在了座位上,身子向后仰去。这是一个高大的、胖大的、肥大的女人。饰成心形的鲜黄的假雏菊花从她宽边草帽中掉了出来。同时,在一张饰有大豌豆圆点的面纱后面,她那红红的脸孔不停地抖动着,好像什么东西正在大量地繁殖。旅客们以一种共同的惰性,任凭长凳子倾斜下来,七倒八歪地瘫坐在他们的座位上。你们都往后仰!佩达尔夫人叫嚷起来。没有一个人动弹一下。那又能管什么用?一个船员说。什么用都不管,另一个船员说。要不要把他们弄下去!佩达尔夫人对车夫说。回来时就需要这样做了,车夫回答说。终于顺顺当当地下了坡,佩达尔夫人和蔼可亲地转向她的客人们。小伙子们,加油!她说,显示出她不那么自豪。马车加快了速度,车子开始颠簸起来。大胡子躺在了两条凳子的中间,就在车板上。您是负责的吗?佩达尔夫人问。一个船员把脸冲向勒缪埃尔说,人家问您这里是不是您负责?给我安静点,勒缪埃尔说。英国人发出一声号叫,佩达尔夫人在这叫声中似乎窥视到了那么一丝生命活力的信号,认定这是一种欢乐的表达。对了!唱吧!她欢呼起来。不要枉费了这晴朗的好日子!忘掉你们的忧虑吧!欢乐它几个小时吧!于是,她起了调子:

> 这个季节真令人欢畅
> 鸟巢与玫瑰的美好时光
> 太阳照亮了地平线
> 你们的大门不再闭上
> 欢庆快活的春天
> 欢庆——

她突然闭上了嘴,好像失去了勇气。可是,他们怎么了？她说。年轻人不像刚才那么年轻了，他弯成了两截，脑袋套在斗篷的衣摆上，像是要呕吐。他那两条瘦瘦的、膝部过于外翻的腿不住地互相碰撞，膝盖碰撞膝盖。小瘦子哆嗦不止，接过话头继续对话，尽管按道理来说，英国人才是哆嗦不止的人。人家说话时他纹丝不动，冥思苦想着什么，以他那兴奋的手舞足蹈和那挥动着的雨伞为谈话助威。而你呢？……谢谢……而你呢！……可是瞧瞧！……真的……往右吗？……试一试吧……回头走吧……往哪里？……下雨啦……没有啊……回头走吧……往哪里？……往左……试一试……孩子们，你们闻到大海的气息了吗？佩达尔夫人问。我已经闻到了。麦克曼向大海冲去，但没能成。勒缪埃尔从他的斗篷下抽出一把小斧头，朝自己的脑袋一下一下地砸去，幸好，用的是斧背，出于小心。多么好的散步啊，一个船员说。棒极了，另一个说。碧空艳阳。欧内斯特，把奶油圆球蛋糕拿过来，佩达尔夫人说。

小船。有位子，像在排凳马车中一样。足够两倍多人数的位子，三倍，四倍，挤一挤就成。一片大地远去了，另一片大地靠近了，大大小小的岛屿。只有船桨和桨架，以及湛蓝的大海拍打船肚的声响。佩达尔夫人坐在船尾,陷入了沉思。多美啊,她喃喃道。孤独的、不被理解的、善良的人,过于善良了。她摘下手套,任凭自己戴着蓝宝石戒指的手在透明的海水中划行。四支桨,没有舵,靠桨来掌舵。我的人,说他们什么好呢?什么都不说。他们在这儿,每个人都仿佛可以,都仿佛可以在其他地方似的。勒缪埃尔望着远处的一座座山峰在港口尖尖的钟楼塔后逐渐升高。更确切地说,这是一些

这是一些山岭。它们缓缓地上升,超然于混沌的平原之上,显出一片葱绿。他就诞生在这山岭的某处,在一幢美丽的房子里,在一对善良的父母怀中。那上边有着欧石楠和荆豆,热烈地开放着金黄色的花朵,人们也把它叫做染料木。凿花岗岩的铁锤从早到晚发出一阵阵银铃般的响声。

海岛。再努一把力。它是那么小,在大海的那一面被吃进去一个湾。人们或许可以在这岛上生活,假如生活是一件可能的事,在那里生活或许还是蛮不错的,但是,没有一个人在这里生活。深深的海水一直灌到它最隐蔽的部位,在高高的悬崖之间。总有一天,这里将会

留下两个小岛，被一条深渊分开，开始这深渊还算狭窄，然后，随着一个个世纪的逝去，它会变得越来越宽，两个岛屿，两块岩崖，两堆礁石。在这种种条件下，谈论人们就变得困难了。来吧，欧内斯特，佩达尔夫人说，我们来找一处地方吃野餐。而您，莫里斯，她补充说，您就留在船边。她把它叫做一艘船。瘦子一心想跑遍整个岛，但年轻人则躺在岩石的阴影下，这使得他很像是索尔代洛①，只是缺少一点勇猛的豪气，他对他显出一副安息中的狮子的模样，他也就被拴住了。可怜的人啊，佩达尔夫人说，快把他们解开了吧。正当莫里斯准备服从命令时，勒缪埃尔说，别管他们。大胡子拒绝离船，使得英国人也不得不陪着他留下。麦克曼同样也没有自由，因为勒缪埃尔抓着他的腰身，紧紧地搂住了他，动作差不多有点亲热的味道。原来您才是负责的呀，佩达尔夫人说。她和欧内斯特一起向远处走去。突然她回转身子说道，你们知不知道这岛上有德鲁伊教

祭司的遗迹？她的眼睛在他们两人之间扫

---

① 索尔代洛（Sordello，约1200—1269），法国著名的普罗旺斯行吟诗人。

来扫去。等我们都吃饱了之后,她说,我们就去寻找,好吗?她继续走她的路,身后跟着双手抱着食物篮的欧内斯特。当他们消失在远处时,勒缪埃尔松开了麦克曼,悄悄地走到正坐在一块石头上装烟斗的莫里斯背后,用斧子,或者更确切地说是用小斧,猛地砍下来把他杀死了。这事儿在进展,这事儿在进展。年轻人和大胡子一动都没有动弹。瘦子做了一个奇怪的动作,把雨伞摔断在岩石上。麦克曼再一次想逃跑,但再一次没跑成。英国人朝前凑过身子,手拍着大腿叫道:干得漂亮,先生,干得漂亮!① 一会儿工夫后,欧内斯特回来找他们。勒缪埃尔一下子冲到他面前,把他也杀了,跟杀第一个人时使的同样的招。只是花的时间稍长一点。两个正直的人,安安静静的,毫不冒犯人的,还是姻亲兄弟,如同千千万万的人那样,如牲口一般丢了性命。麦克曼的巨大的脑袋。他戴上帽子。太阳转向了山冈。佩达尔夫人的叫喊声传了过来。她兴高采烈地出现在人们面前。来吧,大家都来吧,她高声喊着,全都准备好了。但是,一看到死去的船员,她就晕了过去,倒在地上。揍扁她!② 英

---

① 原文为英文 "Nice work, sir, nice work!"。
② 原文为英文 "Smash her!"。

国人叫道。她的面纱已经掀了上去,手里拿着一块小小的三明治,她倒下时肯定摔断了什么东西,兴许是胯骨,老年妇女很容易胯骨脱骱,因为她一苏醒过来就哼哼唧唧地呻吟起来,仿佛这整个大地上只有她一个人才值得人怜悯。当太阳落到了山冈后面,当港口的灯光开始闪烁起来时,勒缪埃尔让麦克曼和另外两个人上了船,自己也跟着上船,他们一共六人离了岸。

咕噜咕噜地放水。

这灰蒙蒙混沌一团的躯体,就是他们。黑夜中,他们只是黑乎乎的一大堆,静悄悄的,勉强能够看清,兴许互相倚抱着,将脑袋藏在斗篷里面。他们远离着港湾,勒缪埃尔不再划桨了,桨儿漂浮在水面上。黑夜里散布着荒诞的

荒诞的光芒,群星,灯塔,浮标,地上的灯光,在山上还有燃烧着的染料木的微火。麦克曼,我的最后一个,我的拥有物,我忘不了,他也在那儿,也许他睡着了。勒缪埃尔

勒缪埃尔是负责的,他举起斧头,上面的血永远不会干涸,但不是为了砍任何人,他将

不砍任何人,他将不再砍任何人,他将永远不
再碰任何人,不用它不用它不用不用不

不用它不用他的铁锤不用他的棍子不用他
的棍子不用他的拳头不用他的棍子不用不在思
想里不在梦里我是说永远他将永远不再碰

不用他的铅笔不用他的棍子不

不再有光线光线我是说

永远不就这样他永远不再碰

他永远不再碰

就这样永远不

就这样就这样

什么都不再有

1948 年

图书在版编目（CIP）数据

贝克特作品选集.4，马龙之死/（爱尔兰）贝克特（Beckett，S.）著；余中先译.—长沙：湖南文艺出版社，2013.12（2025.6重印）
ISBN 978-7-5404-6464-6

Ⅰ.①贝… Ⅱ.①贝… ②余… Ⅲ.①文学-作品综合集-爱尔兰-现代②长篇小说-爱尔兰-现代 Ⅳ.①I562.15

中国版本图书馆CIP数据核字（2013）第262577号
著作权合同登记号：图字18-2013-203

贝克特作品选集4
BEIKETE ZUOPIN XUANJI 4
马龙之死
MALONG ZHI SI

著　　者：	[爱尔兰]萨缪尔·贝克特		
译　　者：	余中先		
出 版 人：	陈新文	监　　制：	谭菁菁
责任编辑：	冯　博　李　颖	责任校对：	刘　波
特约编辑：	陈美洁	装帧设计：	CANTONBON
出版发行：	湖南文艺出版社		
印　　刷：	长沙超峰印刷有限公司		
经　　销：	新华书店		
开　　本：	787 mm×1092 mm　1/32		
印　　张：	6.5		
字　　数：	103千字		
版　　次：	2013年12月第1版		
印　　次：	2025年6月第2次印刷		
书　　号：	ISBN 978-7-5404-6464-6		
定　　价：	39.00元		